P9-DCW-527

Pinceladas musicales

Pinceladas musicales

César Aira

blatt & ríos

Aira, César
Pinceladas musicales. - 1a ed. - Buenos Aires : Blatt & Ríos, 2019.
136 p. ; 18x13 cm. - (Biblioteca César Aira)
ISBN 978-987-4941-36-7
1. Narrativa Argentina. 2. Novela. I. Título.
CDD A863

1ª edición: agosto de 2019

Diseño de tapa: Iñaki Jankowski | www.jij.com.ar

blatt-rios.com.ar

ISBN: 978-987-4941-36-7

I

Cuando yo era chico, en los primeros años cincuenta, vivía en Pringles un artista pintor con ese prestigio ambiguo que se ganan en un pueblo los que practican actividades improductivas. No es que este hombre fuera un pintor y nada más, eso habría sido demasiado raro para la época y el lugar. Era un vecino antiguo como cualquier otro, integrado a la gran familia del pueblo, retirado del comercio, viudo, con hijos grandes que se habían ido, como emigraban tantos jóvenes en busca de horizontes que no les ofrecía Pringles. Como me fui yo también, cuando llegó la hora. Entonces era muy chico, de estas historias me enteré por cuentos, y las completé a mi modo, con reflejos de lecturas y con la desenvoltura que me dio la naciente vocación literaria.

No sé quién habría visto su obra (yo nunca vi nada), si la había expuesto, o mostrado de algún modo; está de más decir que en Pringles no había, y sigue sin haber, galerías de arte. Me da la impresión de que era una de esas famas de las que nadie puede rastrear el origen, alimentada (paradójicamente) por una personalidad discreta, modesta, de las que hacen que el hombre más llano y accesible y sin secretos termina siendo el más misterioso. Salvo que este pintor del pueblo debía cultivar el secreto, y creo saber por qué.

Lo que supe muy a posteriori, y debió ser lo más llamativo de su historia, era que le habían encomendado decorar las paredes del salón de actos del Palacio Municipal. Esto puede ser leyenda, o una broma que alguien tomó en serio y echó a correr como un dato, o un malentendido o una exageración a partir del encargo o la compra de un cuadro para un despacho oficial. Como sea, es difícil creer que alguien haya tenido la peregrina idea de cubrir con frescos las paredes de los salones el Palacio.

Así se lo llamó siempre: el Palacio. Maravilla arquitectónica de extravagancia sin par, ese gigantesco piano desarmado de cemento debería haber sido el orgullo del pueblo, pero ya entonces, aunque tenía menos de veinte años de construido, se lo daba por sentado. Nadie levantaba la vista hasta la torre cuadrada, que rozaba las nubes, ni le daba la vuelta para admirar la simetría de sus aletas rectangulares. Era un lugar de trámites y política, solamente funcional, y ni siquiera muy funcional, más bien incómodo como todo lo que se construye poniendo la estética por delante, en especial si era una estética tan improbable como la que presidía el Palacio.

Pero ahí estaba, en medio de la Plaza cuyas dos mitades parecían haberse abierto para que él se levantara, pistilo titánico, triunfante. En ese entonces el cemento, tratado con un revestimiento de cuarzo, era blanquísimo, tan brillante que cuando le daba el sol había que mirarlo entrecerrando los ojos, y de noche se envolvía en un suave resplandor azulino. Yo debo de haberlo visto así, pero mis primeros recuerdos son posteriores, cuando el revestimiento había sido lavado por las lluvias y el viento, y el blanco ya no era tan prístino. Quizás había mejorado al quedar menos enceguecedor, más austero, más digno en su gigantismo.

La luz del día en Pringles no era algo dado de una vez por todas. Había algo secreto en sus cambios, de lo que no se hablaba pero, como pude comprobar mucho después, se compartía en silencio. Una vez, yo tendría veinte años, en un mes de enero (ya vivía en Buenos Aires, pero pasaba los veranos en Pringles) me levanté a las cinco de la mañana para ir a la estación a buscar a mi abuela, que venía en el tren nocturno. Abrí el portón del garage para sacar el auto y me confundió un brillo excesivo. Me vi en medio de un esplendor dorado de una fuerza de claridad como nunca había visto. Me lo expliqué por el verano, por lo temprano que amanecía y mi deslumbramiento por haber salido a esa hora excepcional para mí. Pero la inmersión en el aire de oro seguía siendo una experiencia inexplicable; porque el amanecer era el momento de las esperas y gradaciones, y esto era una plenitud iluminada como no la había ni en el mediodía más radiante. No era como si la luz cayera del cielo, proyectando sombras normalmente, era más bien como si ya hubiera caído, una lluvia de iluminación que hubiera impregnado todo y estuviera irradiando más y más luz. El efecto podía estar acentuado por el acompañamiento sonoro, también desusado: justo enfrente de casa había un arbolito de copa redonda del que salía un coro fortísimo de píos. Aunque no se veía ninguno, ocultos en el follaje muy cerrado, debía de haber un centenar de gorriones desgañitándose. Esa orquesta aguda y entusiasta, como si se rompieran a la vez un millón de copas de cristal, contribuyó a hacer inolvidable el éxtasis de la luz.

Medio siglo después, ya viejo, una vez que volvía para el funeral de un pariente, el ómnibus me dejó en Pringles a las cinco de la mañana, en uno de los mismos días de verano de aquella vez; en el cielo no había una sola nube, pero la luz tenía una condición de oscuridad, como si las sombras del suelo hicieran fuerza contra la claridad; no era la primera vez que hacía la prueba de recuperar aquel madrugón memorable, y tampoco ésta me devolvía aquel brillo. Lo comenté ese mismo día o el siguiente con una mujer de la familia, en el tono de "no es lo mismo que antes, a las cinco todavía está oscuro". Ya mientras lo decía me daba cuenta de lo absurdo del planteo: a las cinco de la mañana de un día de enero, entonces o años atrás el Sol estaría a la misma altura, la Tierra no se había salido de su eje ni el cielo había cambiado de inclinación. Sin embargo la mujer a la que se lo decía asintió, sin palabras, con un gesto de la cabeza y una mirada a los demás en la reunión, que hablaban y no habían oído mi comentario; era como si me pidiera discreción, silencio sobre los ciclos extraños de la luz.

Volviendo a los frescos, que nunca se realizaron y quizás no fueron más que otro episodio imaginativo en la leyenda del pintor, la época justificaba las vacilaciones y dudas que postergaron el trabajo hasta diluirlo en la nada. El peronismo, entonces en el ápice de su hegemonía política y cultural (aunque ya se empezaba a hablar de su desgaste inevitable) tenía una iconografía identificatoria difícil de soslayar. Tratándose de un edificio oficial, una sede de gobierno, mucho más difícil todavía. El pintor, fuera o no simpatizante del régimen, o fuera, como es lo más probable, uno de esos agnósticos del interior del país, que lo ven todo con resignada aceptación, vería abrirse frente a él alternativas comprometidas, aunque en el fondo no distintas a las que enfrenta cualquier artista.

Todo pintor debe empezar preguntándose qué pintar. Su arte, en tanto arte, es formal, un equilibrio o juego o bellas asimetrías de dibujo y color, de modo que da más o menos lo mismo qué objetos represente. Pero el espectro de elección es tan amplio, es todo lo que hay en el mundo, ya sea en la realidad, ya en la imaginación, que puede paralizarse antes de tomar una decisión. Lo más a mano son los ramos de flores, las naturalezas muertas, los paisajes, temas que van en dirección a lo abstracto en tanto lo representado tiene menor importancia temática; lo abstracto es en definitiva la meta final del formalismo. Pero puede tomar la dirección opuesta, la temática o contenidista, y pintar batallas o escenas religiosas o históricas, retratos, surrealismo; ésta puede ser también la elección del formalista más sutil, que esconde la forma en el contenido para ganar libertad.

En el caso de los frescos del Palacio, la temática peronista era insoslayable, por presente o por ausente. La imagen del Líder y su esposa, el obrero, el Plan Quinquenal, el escolar, la CGT, podían estar o no estar en las paredes; pero cualquier otra cosa que estuviera en su lugar significaría que la imaginería peronista no estaba, tanto o más elocuente por su ausencia. Aun así, había modos de quedar bien con recursos intermedios, y sin necesidad de recurrir a la ironía; por ejemplo con paisajes de la zona. Salvo que el paisaje que rodeaba a Pringles no tenía rasgos claramente reconocibles, y las calles y edificios menos. Lo único era el Palacio mismo, emblema del pueblo; pero pintar por dentro lo que se veía de afuera habría tenido una redundancia rara, como si el Palacio se volviera blando y se lo pudiera dar vuelta sobre sí mismo.

II

Así como Pringles tenía un solo diario, un solo teatro, una sola pileta de natación... tenía un solo pintor. Y lo tenía en reserva, a la espera de que su producción madurase en el pensamiento, o en la sublime inacción del Tiempo. La iniciativa de los frescos del Palacio, ya fuera un propósito efectivo de las autoridades, ya una de esas ideas ociosas que circulan porque sí (porque había un pintor en el pueblo al que no se le encontraba función), debía de haber nacido de la falta de representación de la que adolecían los pringlenses. Esos pueblos de provincia se parecían todos, alguien proveniente de una capital habría tenido dificultad en encontrarles diferencias, salvo en el trazado de la plaza central; las calles, las casas, eran intercambiables. Pero el nativo de uno de esos pueblos, si viajaba a otro, podía llegar a encontrarlo tan pero tan distinto como para sentir que estaba en otro país, casi en otro mundo. Se asustaban, se perdían. Podía ser efecto de la falta de contactos externos. Estábamos en una isla virtual. Sin rutas, las lluvias transformaban en trampas de barro los caminos de tierra. El tren, que había perdido puntualidad y prestigio desde la nacionalización, era el puente con el mundo, además de haber sido el motivo de la existencia de Pringles. Pero no siempre era posible tomarlo, porque había que vestirse muy bien para enfrentar las miradas dañinas de pasajeros de otras partes, y dada la falta de buenas tiendas locales habría sido necesario viajar para poder comprar la ropa adecuada, con lo que se creaba un círculo que nos mantenía encerrados. El aislamiento nos hacía más dueños de nuestras carencias. La radio informaba de eclipses que no veíamos, en la Vía Láctea siempre faltaba una estrella, sosteníamos que las fases de la Luna se daban al revés que en otros lugares, incluso cercanos; cuando en Suárez crecía, en Pringles menguaba, y viceversa. O directamente desaparecía detrás de unos horizontes saltamontes.

Otra cosa que no había en Pringles: estatuas. Que hubiera un pintor ya hacía latir de arte la llanura. Un escultor, habría sido pedir demasiado. Y traer estatuas de otro lado habría sido engorroso y caro; abundaban los camiones, pero estaban para otra cosa. Además, ¿qué podían representar? Los próceres habrían parecido intrusos, pertenecían al pasado nacional, y al entrar al orbe del presente municipal y chacarero se habrían vuelto fantasmas. Cualquier otra cosa, por ejemplo las alegorías de la Justicia o la Libertad, habría requerido explicaciones.

Puedo dar fe de que no había estatuas en Pringles por un hecho que recuerdo bien; yo era adolescente, es decir una década más o menos después de los hechos narrados aquí, cuando se inauguró la primera estatua del pueblo. A tal punto era la primera que mereció una foto en la portada de *El Orden*, y todo el pueblo fue al desvelamiento. Era un mediocre molde de cemento, de un metro y medio de alto, sobre una base escalonada de granito. Se trataba, previsiblemente, de una madre amamantando a su hijo. La pusieron en la plaza, medio escondida en un rincón tras unos setos de boj. Los chicos miraban boquiabiertos el arco de esfera de teta visible. Su condición de primera y única fue celebrada y confirmada, pero a nadie se le ocurrió preguntar cómo habían podido vivir sin estatuas hasta entonces. La prueba fue que no hubo otra hasta veinte o treinta años más tarde.

Por supuesto que se podía vivir sin estatuas. ¿Quién necesitaba esas cosas inmóviles, que seguirían ahí cuando todos nos hubiéramos muerto? Los pringlenses no, por lo visto. No había estatuas, ni una. Ni siquiera santos en la iglesia. Qué raro. Se podrían ensayar distintas explicaciones. Pudo ser influencia de las señoras, que solían quejarse de la monotonía pueblerina en la que nunca pasaba nada. Para qué introducir un elemento más de aburrimiento. Una segura intuición les decía que la novedad de un día había que pagarla con el resto de la vida de tedio. Quizás la tercera dimensión chocaba con un inconsciente de superficies auspiciado por la llanura y el cielo. O bien se temía que la masa sólida y opaca pusiera en peligro la transparencia, siempre tan frágil, que todos traían de la infancia cuando calcaban el Cabildo y la Casita de Tucumán de la *Billiken*, para después volverse la condición social de saberlo todo de todos y restarle validez al secreto, enmarañados como estábamos de parentescos y vecindades.

En fin, son teorías. Yo tengo la mía: si no había estatuas era porque estaba el Palacio. A cualquier otro edificio del pueblo se lo veía y sentía como una estructura hueca, dentro de la cual se vivía o trabajaba; las paredes no estaban hechas para representar el Homenaje al Cubo sino para sostener el techo y mantener afuera el viento y el frío. En cambio el Palacio, en razón de su formato extravagante, no evocaba ningún interior, era una forma externa. Una gran estatua, que con sus pavorosas toneladas blancas había hecho huir a todas las pequeñas estatuas amedrentadas que un día, antes de que yo naciera, se escaparon dando chillidos, las Venus y los Apolos, los San Martines y Sarmientos, los Soldados Desconocidos y los Granaderos a Caballo, mármoles y bronces con temblores que desmentían la materia de la que estaban hechos, despavoridos, ciegos en la huida erraban al puente y se caían al Pillahuinco y se iban al fondo.

III

Para entonces ya había quedado atrás la Edad de Oro del periodismo pringlense. El diario anarquista, *La Montaña*, se había extinguido. Los cívicos, aburguesados, cerraron *La Protesta*. Los judíos se fueron, la sinagoga abandonada entró en un acelerado proceso de autodemolición, y la revista humorística que hacían, *La Pequeña Torá Semanal*, fue un recuerdo. El único órgano de prensa que siguió en pie fue el que había estado antes que todos los demás, *El Orden*. Después de sobrevivir a la competencia de diarios de lectura interesante y diseño atractivo persistía con la tediosa impavidez de un monolito de papel, mal escrito, las líneas torcidas, las columnas cayéndose para un lado o el otro. El elenco de anunciantes era siempre el mismo, en recuadros con mucho blanco para ocupar el mayor espacio posible. La escasez de realidad y de imaginación hacía difícil llenar las ocho páginas tabloide. Las colaboraciones espontáneas eran recibidas y aceptadas con avidez, y así como llegaban iban a la tipografía; la redacción deficiente hacía que la extorsión y la calumnia pasaran inadvertidas. Las buenas intenciones, la beatería o la genuflexión política también tenían su espacio, aunque nunca con el colorido que las hiciera interesantes. En cuanto a noticias, sólo el cuatrerismo y el incendio sobresalían de la rutina de fiestas escolares y partes municipales.

Pero con todas sus carencias *El Orden* servía para soñar con el tiempo, cuando no había otro soporte disponible. El pintor era uno de los que lo usaban en esa capacidad; al menos era lo que yo le oía decir a mis padres, que lo veían por las mañanas al otro lado de los vidrios del Hotel. De hecho, la precariedad del diario local estaba hecha a medida para la ensoñación; algo más elaborado y cuidado podía acaparar la atención y precipitarla por los declives de la banalidad de lo actual.

Viudo, retirado de la vida activa, solo, había reducido al estricto mínimo las obligaciones domésticas; se hacía la cama, se preparaba el desayuno, y eso era todo.

Se hacía llevar la comida de lo de Benassi, una señora iba dos veces por semana a limpiar y lavar la ropa y la vajilla (él no se mojaba una mano). El objeto de esta simplificación era tener más tiempo libre. Si le hubieran preguntado para qué quería el tiempo libre, si no lo ocupaba con nada, habría podido responder que si lo ocupaba ya no sería tiempo libre sino tiempo ocupado. Irrefutable argumento, aunque no convencía. La tracción moral del trabajo productivo no rozaba siquiera su alma de artista.

La parte visible de su rutina era la del aperitivo a última hora de la mañana en el bar del Hotel Pringles, el único hotel que había entonces. Ahí tenía lugar la lectura del *Orden*, en el ejemplar que el dueño del establecimiento ponía a disposición de su único parroquiano, sentado frente a la ventana, donde podían verlo los transeúntes de la calle Stegman, a los que él también podía ver y a los que podía llegar a devolver un saludo con un movimiento de cabeza. El tránsito iba disminuyendo hacia la pausa del mediodía, hasta que la calle recuperaba su aspecto característico de soledad metafísica.

A alguien le podrá parecer extraño, o poco creíble, que yo sepa de estos hechos, y los siguientes de esta historia, que sucedieron cuando mi edad no superaba la de un párvulo. Es cierto que no fui testigo, pero pude reconstruirlos. Sucede que los hechos minúsculos, que pasan sin que nadie los note, o se olvidan por su poca importancia, están insertados entre los grandes hechos históricos que, ellos sí, están bien documentados. Estos grandes hechos nunca encajan exactamente con el siguiente o el precedente, y estudiando con atención el dibujo que forman los bordes irregulares de dos de ellos se pueden deducir por la forma del intervalo vacío los hechos menores que sucedieron en él, hasta sus últimos detalles circunstanciales.

En realidad no leía el diario, se limitaba a tenerlo abierto como una justificación de su presencia mientras se ensoñaba en el aperitivo. Reconocía los viejos y gastados clisés de los anuncios, y condescendía a recorrer los titulares en letra grande; para lo demás tendría que haber forzado la vista porque no llevaba consigo los anteojos de leer. No los sacaba nunca de la casa, por temor a perderlos. Se había hecho la idea, bastante irracional, de que eran irrecuperables. Igualmente irracional era el valor que les daba, como si no pudiera sobrevivir a su pérdida, cuando en realidad hacía muy poco uso de ellos. Estaban arrumbados en algún estante, ni siquiera sabía bien dónde, cubiertos de polvo, pero lo tranquilizaba saber que estaban en la casa. La lectura había ido quedando paulatinamente relegada entre sus actividades. Su sensibilidad de artista se alimentaba de impresiones, de placas de realidad o sueño, adversas a las moléculas sólidas de significado que cubrían la página escrita.

Por lo demás, su vista era excelente, como podía comprobarlo allí mismo donde estaba, sentado ante la ventana; en la vereda de enfrente en línea recta estaba la juguetería de Abecia. Dos vidrios cargados de reflejos y los veinticinco metros de la calle Stegman lo separaban del contenido del escaparate, pero no se perdía de nada. El abigarrado detallismo de los juguetes, dispuestos sin arte ni composición, simplemente amontonados, formaban una tabla periódica de los colores extraviados. Los juguetes de por sí tenían una relación interesada con la forma y el color. Por su naturaleza comercial, se presentaban siempre en el modo de la opción: el niño debía elegir. El pintor se internaba en la selva de los autitos y las muñecas, en el color y la reproducción germinal de la vida. El juguete como objeto representativo encerraba claves para el que osaba verlas, misterios. Había que atreverse a franquear los umbrales de los cambios de tamaño, jugar el juego de las dimensiones, y ahí veía un paralelo con lo que le ofrecía *El Orden*. En esas hojas mal impresas y mal escritas podían estar los indicios de algo importante. Aun con esta firme sospecha en la cabeza, él no leía, experimentaba el lujo de la distracción, como alguien al que le dijeran que a sus pies había un tesoro y prefiriera, elegante, mirar el paso de las nubes.

Algún cambio importante podía estar anunciándose en el mundo, y quizás se podía saber cuál era armando las erratas del diario. Pero a él no le importaba. Se conformaba con ver en la mente el dispositivo con el que sorprender los grandes trastornos de la historia, un juguete trascendental: un cono de latón dorado con un agujerito en la punta al que se aplicaba el ojo y se revelaban los radios de las galaxias.

El dueño del Hotel le daba conversación, y solía hacerle comentarios sobre el contenido del diario de ese día, que él sí había leído en sus ocios de madrugador. Una de las noticias que le transmitió despertó en el pintor ciertas impresiones y recuerdos, demasiados para desarrollarlos aquí, así que tendrán lugar en un capítulo aparte.

IV

Un artículo publicado ese día hablaba de las repercusiones que había tenido una colaboración espontánea aparecida días atrás, enviada por una señora mayor, docente jubilada, miembro de una vieja familia pringlense. Se trataba de un texto breve, que debía de haber estado más o menos correctamente escrito antes de que el tipógrafo del diario lo arruinara. Los lectores de *El Orden* estaban habituados a la reconstrucción mental a que obligaban los saltos, transposiciones y erratas, de modo que pudieron saber lo que decía. Era básicamente el elogio de un árbol: "majestuoso, soberbio, nunca podado, un gigante solitario que nos inspira y conmueve". Se estaba refiriendo a una experiencia real, vivida por ella. Los vuelos retóricos de esta octogenaria llamaban a la prudencia en la interpretación, sobre todo porque tiempo atrás había publicado, por cuenta propia y en una imprenta local, un libro de poemas. No era imposible entonces que hubiera reincidido y estuviera poetizando en primera persona. En contra de esta posibilidad estaba el hecho de que había jurado no escribir más versos, herida por las burlas con las que habían recibido su libro los seudo intelectuales del pueblo. Una circunstancia más apuntaba a la veracidad de su palabra en este caso, y era que hablaba de un árbol en particular, cuando poseída por el estro habría hablado del Árbol como ícono poético.

En efecto, se trataba del tête-à-tête de la señora con un árbol, del que no daba la localización precisa (ni la imprecisa). Acudía a él, según sus palabras, cuando la agobiaban las tristezas de una larga vida, y de la incomprensión del medio, y su presencia, "majestuosa, soberbia", la llenaba de paz, le daba el consuelo que necesitaba sin palabras más allá del susurro de su follaje, que le hablaba al corazón. "¡Gracias, querido árbol! ¡Gracias por darme tu presencia!". Los que conocían a esta señora y sabían de su mal carácter, de su viudez, de su soledad, del extrañamiento de los hijos, que hasta le habían llegado a entablar un juicio a propósito de la sucesión del padre, de su resentimiento ante el sarcasmo generalizado con el que habían recibido su libro, pusieron en duda que quedara en ella una gota del zumo de la ternura necesaria para amar a un árbol. Aun así, la historia era demasiado buena para que no tuviera consecuencias. La noticia aparecida ese día, que el dueño del hotel le comentó al pintor, se refería a esas consecuencias. Un grupo de señoras se había apersonado en el domicilio de la autora de la carta para pedirle la dirección del árbol. Conmovidas por sus palabras, querían experimentar los mismos efectos benéficos que ella había descripto. No sirvió de nada que dejaran en claro que no lo hacían por mera curiosidad sino por genuina necesidad de hallar la serenidad: el oráculo no respondió, y les cerró la puerta en las narices. (Esto no aparecía textualmente en el artículo de *El Orden*; era parte del comentario del hotelero, que conocía a los actores del drama, y el paño de la dama).

Lo curioso del caso fue que la mezquina negativa a revelar el secreto terminó siendo provechosa. Pues si les hubiera dado la dirección del árbol, las señoras habrían ido a verlo y ahí se habría terminado todo, probablemente en una decepción. En la ignorancia, se organizaron para hacer excursiones por el pueblo y alrededores, en busca de esa panacea verde. Para identificarlo no tenían más que los adjetivos del texto del diario, y esos adjetivos le cabían a decenas o centenares de árboles. Y aun siendo señoras de pueblo chico no eran tan bobas como para creer que cuando se plantaran frente al árbol sabrían que era él por un clic de felicidad y serenidad en sus mentes. No importaba. Las recorridas valían por sí mismas, por el ejercicio que hacían caminando al aire libre, las amistades que se hacían o afianzaban en esas tardes de busca, el descubrimiento de rincones interesantes del pueblo por los que de otro modo habrían pasado sin ver. Tan atractiva había sido la iniciativa que se habían sumado nuevos miembros y se formaron otros grupos, hombres y mujeres, todos de edad avanzada y con necesidad de consuelo que quizás estaban encontrando sin necesidad de encontrar lo que buscaban. El artículo terminaba expresando la esperanza de que con estos paseos creciera en la ciudad el amor y el respeto por "nuestros amigos los árboles".

El pintor en su larga vida había visto florecer y morir muchas modas como esta. Se la olvidarían pronto y seguirían buscando la felicidad por otros caminos, sin encontrarla nunca. La diferencia era que antes había visto con irónica indiferencia estos manejos, y ahora que él también era viejo, los entendía. Entendía, pero, lamentablemente, no creía.

¿Cómo procurarse optimismo, en la edad de la melancolía? Aun sin haber probado, sabía que era una tarea difícil; justamente por eso no había querido tan siquiera probar. Más que difícil, porque lo difícil se superaba con tiempo, inteligencia, paciencia. Y a la dificultad la creación mental de optimismo le sumaba las resistencias más pertinaces de lo real, esa clase de oposición en la que parece como si los hechos y las cosas se animaran, dotados de malicia, sabiendo cuáles son exactamente las maniobras que más daño pueden hacer a la paz mental. Un símil adecuado sería el armado de uno de esos aparatos domésticos de fabricación china que vienen en piezas sueltas en una caja. El vendedor asegura que es muy fácil armarlo, y tranquiliza al cliente diciéndole que trae un manual de instrucciones. Pero una vez en casa, cuando se han sacado todas las partes de la caja, ahí empieza el problema. El manual de instrucciones, de más está decirlo, no sirve para nada. Los dibujos son incomprensibles, lo mismo que el vocabulario que usa. ¿A qué llama "consola"? ¿Por qué habla de "cubierta superior" si las dos cubiertas son iguales? ¿Adónde está esa "mariposa" que manda ajustar? Es un rompecabezas que siempre queda armado por la mitad, y al revés. Así pasa con el optimismo: son tantas y tan heterogéneas las partes que lo componen, tanta es la exigencia de que encastren perfectamente unas con otras, que no hay esfuerzo ni ingenio ni paciencia que alcance. Y los manuales de instrucciones podrían estar escritos en chino, para lo que sirven.

El pintor no disponía de este símil, porque en su época los aparatos y muebles se vendían armados y no había que hacer nada más que usarlos. De modo que para él la procura del optimismo era un problema difuso, sin una visualización clara.

En cambio tenía claro un recuerdo. Unos sesenta años atrás, cuando era chico, su madre, que sufría de depresión nerviosa, había creído encontrar un remedio, una cura que se parecía mucho, demasiado, a la que estaba movilizando al pueblo en el presente. Ella era joven entonces, esposa de un comerciante acreditado, madre, sana de cuerpo; su patología era del alma. Por épocas dejaba de hablar, pasaba días enteros en la cama llorando. O bien se iba y caminaba como una sonámbula tardes enteras, pero no como la sonámbula poética a la luz de la Luna, sino rabiosa, mascullando improperios, bajo el Sol en llamas de los veranos pringlenses. El padre tenía que salir a buscarla en el auto y traerla de vuelta a casa. En una de esas salidas había descubierto el árbol, lo contó en la mesa con una sonrisa, y en ese ser atormentado una sonrisa era lo último que se podía esperar. Contemplando ese árbol, les dijo, se había llenado de paz, había sentido que era posible vivir a pesar de todo. Al día siguiente, todavía en el aura de su descubrimiento, escribió un breve poema en prosa de elogio al árbol, y se lo llevó a su amiga la señora de Cejas, dueña de *El Orden*. El marido le pidió que lo publicara sin su nombre, a lo que se negó; tenía veleidades de intelectual, de poeta, y no se iba a privar de los elogios que esperaba recibir por el trabajo que salía de su pluma, el primero (y último). El marido no insistió, pensando que de todos modos no habría muchos lectores: *El Orden* era un periódico decadente, que no resistía a la competencia de los buenos diarios que se publicaban entonces en Pringles. Pero no fue así, más bien al contrario: el escrito tuvo una insólita repercusión, y las conocidas que se cruzaban con la autora haciendo las compras le preguntaban por la dirección del árbol, que ella se negó a darles. Se la negó a sus propios hermanos, que fueron a pedírsela a la casa, esperanzados, ansiosos, pero salieron con las manos vacías.

Tenían motivo para querer el dato, porque la depresión era la enfermedad de la familia. Sus tíos y primos habían sido una galería de víctimas de la oscuridad, suicidas, alcohólicos, misántropos. No se explicaba cómo era posible que él hubiera escapado a este destino nefasto. ¿Pero estaba a salvo? Vastas zonas de sus estados de ánimo le eran desconocidas, nunca entraba en ellas, tenía cosas mejores que hacer. Había puesto al arte como escudo, pero el arte era transparente, y ver a través de él era un trabajo siempre pendiente.

—Ese árbol –le dijo al hotelero– me viene persiguiendo desde que yo era chico. Creo que esta reaparición es un plagio, consciente o inconsciente.

No esperó la respuesta. La conversación se terminaba no cuando llegaba a su fin natural sino cuando el pintor veía pasar al chico de Benassi con la vianda rumbo a su casa. Se despedía y seguía al mensajero pisándole los talones. La interrupción puntual hacía que en los relatos del hotelero quedaran cosas sin decir, episodios enteros omitidos, misterio involuntario.

V

Otra noticia de la que se enteró gracias a la servicial locuacidad del hotelero, esta sí una noticia de verdad, fue la de una muerte violenta. El pueblo estaba conmocionado. Era algo que en Pringles sucedía una vez cada diez años, o más, tan espaciado como el paso de los grandes cometas. En este caso la conmoción fue a medias, por dos motivos. El primero: no era un crimen misterioso, de los que estimulan las pequeñas células grises del cerebro. Había sido un duelo a cuchillo, y se conocía la identidad del matador, que estaba prófugo. O se creía conocerla, porque los testimonios eran vagos y contradictorios. Y que lo fueran era parte del segundo motivo por el que la comunidad no se emocionó demasiado: los involucrados no eran vecinos conocidos sino hombres oscuros de los suburbios, cuchilleros, seguramente borrachos como lo sugería el horario nocturno, lo que envolvía al hecho en una niebla de lejanía, le quitaba el interés que podía darle la reconstrucción precisa, el relato con nombres y detalles de color. Además, la muerte en un duelo tenía algo de consensuada. Salvo que aquí, para terminar de devaluar la noticia, la palabra *duelo* le quedaba grande a lo que con seguridad había sido una riña de ebrios.

Había sucedido en el Barrio de la Estación, que era algo así como un satélite ruinoso del pueblo, en el extremo de la larga cinta asfáltica en que se transformaba el Boulevard. La gente decente iba allí sólo a tomar el ten o esperar a algún pasajero, y no salían de los salones de la estación o la rotonda donde estacionaban los autos. Alrededor, edificios viejos de ladrillo roído, galpones, corrales y almacenes con despacho de bebidas que frecuentaba la ralea desocupada fuera de la época de cosecha o esquila. No podía sorprender que allí tuvieran lugar hechos de naturaleza reprobable, el lugar parecía preparado para ellos.

Lo que sí podía intrigar era que la estación estuviera tan lejos del pueblo, siendo que el pueblo existía porque el Ferrocarril había hecho una estación ahí. Nadie sabía la razón, pero se la podía deducir o imaginar a partir de la observación de la vida orgánica de lo urbano, de los cambios de humor y los caprichos de la suerte que mueven al hombre. Quizás el pueblo se había construido originalmente alrededor de la estación, y era lo que después se llamó Barrio de la Estación. Ese pueblo, brillante y pujante en un primer momento, tuvo una repentina decadencia, se hizo imposible seguir viviendo en él, y los vecinos más emprendedores crearon un núcleo urbano lejos, que creció y se volvió el Pringles conocidos por todos.

¿A que se debió la decadencia y ruina de aquel primer Pringles? La culpa pudo estar en uno solo de sus habitantes. Un hombre que de pronto, por motivos que le concernían a nadie más que a él, perdía el gusto de vivir y se hundía en la tristeza, en el desgano de seguir sumando días y noches. A su alrededor veía gente contenta, activa, pioneros de un pueblo nuevo, y si él había tenido las mismas oportunidades que ellos, no podía menos que pensar que la depresión se la había agenciado él por su cuenta, con lo que el malestar se agravaba.

En la imposibilidad (o dificultad extrema) de seguir viviendo así, lo poco bueno que sobrevivía en su conciencia lo hacía apartarse para no contagiar a los demás y creaba un núcleo de subjetividad a cierta distancia. Con el pueblecito que abandonaba, el futuro Barrio de la Estación, pasaba lo que con esas especies animales o vegetales que tienen un infranqueable umbral cuantitativo de supervivencia, y la pérdida de un solo individuo hace que se extingan. Al tratarse de un medio humano, en lugar de la extinción se dio la decadencia. Mientras tanto él prosperaba, se multiplicaba, y levantaba en el centro un palacio blanco, objeto de su propia admiración, como en un cuento de hadas.

Ahora lo único que venía del Barrio de la Estación eran noticias de salvajismo. ¿Pero eso perduraba, en pleno siglo veinte? ¿Peleas a cuchillo (¿o había que decir "facón"?) con el poncho enrollado en el brazo izquierdo, el tajo, la puñalada...? ¿No era un episodio de una perimida mitología del coraje? Se suponía que el Estatuto del Peón Rural había llevado a la realidad a esos personajes. El realismo estaba avanzando sobre todos los órdenes de la vida. El presente siempre es realista.

Se decía que antaño en los tablados de los pueblos del interior profundo de la provincia, cuando las compañías itinerantes del género gauchesco ponían en escena uno de sus dramas de sangre, alguien del público intervenía en la pelea, para auxiliar al héroe en problemas. Esto que había pasado en el Barrio de la Estación era lo mismo, pero al revés. Esos sujetos se habían tomado en serio el ritual de la virilidad anacrónica, y uno lo pagó con su vida.

Al pintor le volvía un recuerdo de muchos años atrás. No quería calcular cuántos, porque eran casi todos los de su vida, ya que entonces estaba en la escuela, era un niño. Un compañerito le contó que había presenciado, la noche anterior, una pelea a cuchillo, en el Barrio de la Estación. Los chicos pueden inventar ese tipo de cosas, para asombrar a sus amigos, para darse importancia, o porque sí. En este caso, empero, hubo algo que indicaba que podía ser cierto, y fue que el chico, con un gesto que mezclaba el miedo con la tristeza, declaró que había sido el espectáculo más horrible que había visto en su vida. Si lo hubiera inventado habría dicho todo lo contrario. Que no abundara en el relato indicaba asimismo que estaba queriendo olvidarlo, y no se olvida sino lo que ha sucedido en realidad.

Y realmente debía de haber pasado. ¿Por qué no? En ese entonces el siglo estaba naciendo, los restos oscuros del diecinueve se demoraban, los mitos todavía convergían por algún vértice con la realidad. Salvo que ese chico lo hubiera soñado, y de ahí que al volverse pesadilla el sueño hubiera guardado un recuerdo tan negativo del hecho.

VI

Los sábados la rutina de su transcurrir semanal se enriquecía con una salida nocturna, parte de otra rutina de vieja data, que venía de los años en que su esposa vivía. Con su mejor terno negro, la camisa blanca inmaculada, corbata azul de seda, los zapatos negros como espejos, iba al Melody, que las noches de sábado presentaba las Pinceladas Musicales. Llegaba temprano, a las ocho en invierno, a las nueve en verano, y ocupaba siempre la misma mesa. No hablaba con nadie, salvo un saludo escueto cuando lo veía algún conocido, bebía tranquilamente su trago, que estiraba merced al sifón las dos horas de ensoñación y recuerdos, y se marchaba.

El Melody era ya entonces testigo de otra época. Yo llegué a conocerlo, en su último estertor, diez años después de los hechos que relato aquí. Íbamos con los compañeros de colegio, a bailar. Era realmente de otra época, de esos lugares de los que se sospecha que nunca existieron, que sólo estuvieron en el cine, como fantasía. Y sin embargo, puedo dar fe. ¿O no? La memoria no es de fiar. Yo mismo lo encuentro dudoso, aunque cerrando los ojos creo verme en el Melody, y hasta creo ver el rostro de la chica que tenía en mis brazos, y su olor y su contacto, y al girar en las vueltas del baile las distintas perspectivas del salón se me van presentando. Pero ese realismo alucinatorio debería hacerme desconfiar más todavía.

Era un espacio largo y angosto, en el que predominaba, en la permanente media luz, un color rosado cálido. De la calle se entraba a un vestíbulo pequeño, con el mostrador del guardarropa y un cortinado rojo pesado que daba acceso al salón. Había columnas pintadas de imitación mármol, una barra al costado, mesitas con mantel rosa y en el centro una lámpara velador con pantalla de tela plisada. Las sillas tenían respaldo redondo, muy elegantes, el piso era de pequeñas baldosas, como teselas, que formaban figuras geométricas, muy elegantes también, como era elegante todo allí (salvo que esa elegancia yo la vi, por el retraso con que entré en escena, a través de una cortina de tiempo). La música nunca subía de volumen, los mozos de impecable smoking, la concurrencia bien vestida. En aquel entonces, a mediados de los años sesenta, los colegiales nos vestíamos de traje, y éramos bastante formales con las chicas. Creo que el Melody cerró cuando yo todavía vivía en Pringles, o sea que el lapso entre mi llegada a la edad en que podía ir a bailar con chicas y el cierre del establecimiento debió ser mínimo; de hecho, se me hace increíble que un lugar así haya estado abierto entonces. Pero no puedo haberlo inventado.

Diez años antes, cuando lo visitaba el pintor, correspondía más a la época, pero debía conservar ese aire anacrónico que volvía a llevarlo a un pasado ilusorio. Y en buena medida era el pasado el que lo llevaba allí, pues lo había frecuentado con su esposa, puntualmente, todos los sábados. La esposa se acicalaba especialmente, lucía el collar de perlas, el prendedor con brillantitos, el rostro delicadamente empolvado, guantes finos, zapatos de taco. Él no le iba en zaga, pero dada su actividad comercial y por un gusto natural por la pulcritud siempre andaba vestido formal; en ella, que hacía las tareas de la casa en cómodos batones, se notaba el contraste. La salida era un lujo en sus vidas tranquilas. Una pareja madura, bien llevada, en su porte pequeñoburgués. El Melody era el marco ideal para su lucimiento. Conocían, de vista o por amistad, o, frecuentemente, por parentesco (porque las familias viejas de Pringles habían terminado relacionándose todas), a las parejas que asistían, a veces grupos de hombres, siempre formales, civilizados.

Se habían hecho novios bailando, treinta años atrás, siguieron haciéndolo ya casados, y volvieron a hacerlo cuando los hijos crecieron. Decían en broma que podrían bailar dormidos, tan habitual se les había hecho el abrazo, los pasos, los giros. El hábito no disminuía el placer. Y si bien no estaban dormidos de verdad, la razón del sueño no estaba ausente. Ya solo, se preguntaba si no lo habría soñado, a su matrimonio. En ese caso, habría soñado toda su ida. La mancha de aceite de la falta de realidad se expandía, y el aceite (aun actuando como metáfora) por su naturaleza se infiltraba hasta en los rincones más protegidos de la memoria.

En los últimos tiempos, cuando ella ya estaba enferma, los dueños del establecimiento habían comprado el sistema de luces y se habían iniciado las Pinceladas Musicales. A ella le encantaron, fueron una de sus últimas alegrías. El mal que la estaba matando la volvía niña, se embelesaba, y no quiso renunciar a las veladas mágicas a pesar de las dificultades. Consumida, liviana como una pluma, ella que había sido una robusta matrona, al pintor le parecía tener un fantasma en los brazos cuando bailaban.

Después de su muerte hubo mucho tiempo en que no pensó siquiera en el Melody, como si se hubiera extinguido junto con su único motivo para frecuentarlo. Hasta que se enteró de que los sábados seguían haciéndose las Pinceladas Musicales. Retomó entonces su asistencia y le fue fiel todos los años que lo separaban del presente. No se perdía una. Su puntualidad tenía una punta de temor; siempre se estaba preguntando si no sería la última. Su experiencia en el comercio le había enseñado que el público se cansaba pronto de las atracciones, y esta ya tenía muchos años, el equipo de luces que en su momento había sido una novedad ya era una antigualla. En realidad, era un milagro que las Pinceladas Musicales hubieran durado tanto como para ser un puente entre vidas.

Durante una época tuvo un sueño recurrente, que seguramente se originaba en las sensaciones vividas los sábados a la noche. En el sueño estaba con su esposa en una casa, puertas y ventanas cerradas, y sabía que afuera, en los cielos de Pringles, estaban sucediendo los fenómenos cósmicos más grandiosos, ríos de fuego que se derramaban desde las galaxias, torbellinos y cascadas de color, las notas graves de la caída de los soles contra el fondo del Universo, una procesión de luces que eran a la vez olas de un mar y el sostén del firmamento. Le habría gustado ver todo eso, ese espectáculo irrepetible, pero sentía vergüenza de confesárselo a su esposa, que en el sueño representaba la seriedad, el sentido común, y no aprobaría la curiosidad infantil de él.

En ese momento tocaban a la puerta. Iba a abrir. Era un chico, casi un niño, pero alto y fuerte, con un peinado tubular de un metro de alto, a franjas de colores vivos, naranja, verde, amarillo. Se mostraba preocupado de verlos allí adentro: afuera están pasando cosas increíbles, le decía.

Eso lo decidía. No le importaba lo que pensara la esposa. Salía. El cielo sin nubes lucía como todos los días. Si había habido fenómenos extraños, ya habían pasado. Circulaba mucha gente en la calle, o se detenían en grupos, comentando. Él quería preguntar, pero no sabía a quién, y sobre todo no sabía cómo formular la pregunta.

VII

Las olimpíadas que se habían celebrado el año anterior en Helsinki pusieron en la atención del público cuestiones del deporte que para muchos resultaban novedosas. El pintor se enteró indirectamente y le dio que pensar. Encontraba que el deporte, tal como se lo practicaba en ese tipo de competencias importantes, estaba desnaturalizado por una exigencia excesiva, casi inhumana. Había que dedicarle toda la vida, concentrarse en una sola cosa, dedicarle horas y años a modelar el cuerpo, corregir los movimientos, llevar al límite las fuerzas, la resistencia, y además comer y beber sólo lo debido, privarse de esto y lo otro. Había quedado atrás el tiempo en que los que tenían una facilidad y el físico adecuado podían destacarse en un deporte sin dejar de vivir. Esa práctica por placer había sido devaluada a pasatiempo de aficionados por la comparación con los titanes olímpicos.

No se limitaba a lamentar esa evolución: le encontraba una punta de angustia, por causa de la perfección que se requería. El menor error se penaba, había que mantener el máximo de tensión mental, no aflojarla un instante. Otros podían disfrutar el desafío que eso representaba, a él le parecía una tortura.

¿Pero era tan distinto el arte que él practicaba? Parecía como si pertenecieran a mundos diferentes, la disciplina estricta del atleta y el trabajo del artista librado a la inspiración, volátil, caprichoso, sin reglas. Pero sospechaba que las diferencias superficiales ocultaban un parecido profundo. Si él había experimentado vicariamente la angustia subyacente en el perfeccionismo deportivo, allí donde la mayoría veía con admiración el triunfo de los poderes del cuerpo, por algo sería, por algo le había tocado a él la sensibilidad. En su conciencia estaban, y habían estado siempre, callados, los absolutos que incubaba el arte, el todo-o-nada que era su razón de ser. No es que se hubiera propuesto nunca competir con otros pintores, mucho menos con los maestros que imponían el paradigma. Pero todo lo que se hacía en una actividad cualitativa como la pintura estaba sujeto al juicio, y el juicio era implacable o no era nada.

Estas reflexiones lo llevaron a darse cuenta de que nunca se había puesto a pensar seriamente en las dificultades y exigencias que encerraba el arte de la pintura. Si uno no pensaba en ellas, parecían no existir. Si pensaba, resultaban inmensas, casi infinitas. Más allá de los aspectos técnicos, que ya tenían lo suyo, estaba la actitud a asumir. No se podía no asumir ninguna, y si se la asumía tenía que ser una combinación de quietismo y acción. La acción era necesaria si el cuadro quería hacerse y no quedarse en un fantaseo. Pero debía ser acción habitada por una inmovilidad de espera y latencia. Y esta complicación contradecía la simplicidad que para él era la clave del arte verdadero.

¿No había que pensar entonces? ¿Valía más entregarse sin más al instinto de las imágenes? Las paradojas que le salían al paso no bien abordaba el tema lo desalentaban. Pero quizás ese desaliento le venía bien al comienzo, para gastarlo y no desalentarse después, cuando la mitad del trabajo estuviera hecho. La idea de la perfección instalaba una inquietud. Porque no se daba de entrada, como un umbral a partir del cual avanzar, sino que había que llegar a ella, atravesando los desiertos del ansia. O atravesando los salones oscuros llenos de estatuas vivientes que eran las formas cambiantes y fugitivas de la belleza. Como todo viaje, este hacia los santuarios de la perfección estaba sembrado de trampas. Había que poner cuidados, precauciones, no desmayar, sacar fuerzas de flaqueza, y sobre todo poner inteligencia, prever desde cada paso el siguiente, tomar la decisión correcta en el momento justo cada vez... En una palabra, se necesitaba todo lo que era más adverso al arte, lo que lo hacía razonable y pedestre. Pero también lo que se necesitaba para vivir, y para seguir viviendo.

Malogrados los presuntos vuelos de altura en los que se ejercitaba el estro, había que vivir. El artista no estaba exento de ese trabajo de base, para el que debía hacer a un lado sus prestigiosas capacidades demiúrgicas y emplear las humildes habilidades del hombre común: orden, economía, previsión, sin olvidar el mezquino cálculo necesario para mantenerse sobre la línea de flotación de la llamada "pobreza decente". El riesgo estaba en poner en la actividad artística las virtudes del votante resignado que sobrevivía en la selva de la democracia de masas: el arte se degradaba a testimonio, perdía su condición alada, se hacía pesado como un día laborable. El peligro estaba siempre al acecho porque siempre se estaba viviendo y no era fácil dejar de sopesar las condiciones en que se llegaría al día siguiente o al año próximo. Sacarse de encima el pensamiento práctico al tomar los pinceles, como uno se sacaba la ropa antes de ponerse bajo la ducha, era crear un personaje artificial, del que no podían esperarse más que amaneradas piruetas de cristalería exhibicionista. Había que dividirse sin dejar de ser uno solo, complicarse preservando la simplicidad, aferrarse al pincel y soltarlo al mismo tiempo.

La busca de la perfección potenciaba el riesgo. Si no se daba de entrada, había que salir a procurársela, porque una u otra forma de perfección era imprescindible para que la obra de arte existiera en la realidad. Y esa busca, que no podía sino ser lenta y trabajosa, equivalía a perder la divina libertad de los orígenes, ¿qué hacer con ella entonces? Olvidarla no era el remedio, al contrario, pedir que la olvidaran era su mayor astucia, porque sabía tomar muchas formas, insidiosas, y desde ellas descargar con más fuerza sus venenos.

En este punto, cuando estaba a punto de tirar por la borda el concepto de "cosa mentale", se le ocurrió una idea que podía ser salvadora. En lugar de perder la libertad buscando la perfección en el arte, buscar la libertad y dejar que el arte se las arreglara solo. Mmm... Interesante voltereta. Le gustaba. Se relamió, como el gato con el ratón a su merced. Desplazar la pesada idea de perfección del arte a la libertad. En contacto con la libertad, la perfección se sacaba de encima sus engorrosos requisitos y dejaba ver los hermosos colores con los que había nacido. Claro que el precio podía ser alto, como despojarse de una vida en favor de otra.

VIII

Esta idea de cambiar de vida, que a tantos ha asaltado, a veces con tanta frecuencia, a veces con tanta fuerza que se vuelve una obsesión, o, si no llega a tanto, un anhelo doloroso que oprime el corazón... a él nunca se le había ocurrido. Su mundo de deseos y esperanzas había estado siempre asentado firmemente en la vida que tenía. Las otras vidas eran de los otros. Por ese motivo, lo que en cualquiera, en mí por ejemplo, habría sido un fantaseo más a los que estaba acostumbrado, a él lo sorprendió y necesitó un tiempo para digerirlo.

Esto era característico de Pringles, donde nadie pensaba nunca en cambiar de vida. Y no era porque todos estuvieran tan satisfechos con lo que eran y tenían; tampoco porque fueran tan estoicos o porque les faltara imaginación. Creo que se debía en parte a que todos se conocían y sabían del largo trabajo que a cada uno le había dado llegar a ser quien era y tener la vida que tenía. Sabían qué enorme tenía que ser la sucesión de circunstancias y coincidencias necesarias para dar por resultado un vecino.

Las vidas estaban en su lugar. Lo mostraba el método usual de identificación de alguien en la charla cuando al que hablaba, si era una persona mayor, se le había ido el nombre. "¿Quién?". "El casado con la hermana del que compró la florería que está enfrente de la casa de tu prima la soltera". "Ah, ese". La falla de la memoria, con esos nombres que se resistían a volver, quedaba de ese modo compensada por el indestructible conocimiento de la red humana. El menor cambio en la delicada telaraña de atrapar identidades habría producido un desconcierto general.

Pero ese cambio de vida, que parecía tan imposible, ¿no estaba sucediendo ya? Lo estaba efectuando el Tiempo. La vida a los veinte años no era la misma que a los setenta. El cambio se daba por progresiones imperceptibles, motivo por el cual daba la impresión de que seguía siendo la misma vida. No era exactamente el cambio que podía propiciar el encuentro con la libertad. Y además era un cambio para peor. En eso todos estaban de acuerdo: era mejor ser joven que viejo. El envejecimiento era una decadencia.

El dato objetivo era que con la edad las facultades disminuían. Si les pasaba a los genios, cuanto más le estaría pasando a un humilde pintor de pueblo. Claro que el hecho comprobado de que le pasara a los genios no quería decir que le tuviera que pasar a él. En los genios, dado el nivel superior de su producción, la menor baja en la calidad o inventiva se notaba, saltaba a la vista. Mientras que en el artista del montón, que nunca había tenido picos extremos de creatividad, mal podía notarse una disminución, muy sutil observador habría que ser. Y por otro lado, no era cuestión de creerle ciegamente a las generalidades estadísticas. Las facultades de marras eran las del entendimiento común, la memoria, la comprensión, la agilidad o flexibilidad mental. Las facultades de un artista residían en otro lado, eran raras, oblicuas, y hasta podían parecerse al desvarío o, por qué no, a la estupidez.

Pensándolo bien (no podía evitar seguir pensando, a pesar de haber tomado en defensa propia la decisión de no hacerlo) encontró una falla en lo de la "disminución de las facultades", y era que las facultades intelectuales no podían cuantificarse como las monedas o las bosas de trigo. La tan mentada disminución debía de ser entonces más bien un cambio, una modificación; la baja en calidad de la obra con la edad se explicaba por la impericia con la que el sujeto empleaba estas facultades modificadas, habituado como estaba a sus facultades tal como eran antes. Estas formaban sistema con todo el conjunto de hábitos y rutinas acumulado a lo largo de la vida. Era fácil ver que con el viejo sistema se hacía imposible poner en acción las facultades nuevas. El corolario inevitable: había que crearse un sistema nuevo, lo que equivalía a cambiar de vida.

No supo si había demostrado algo, o si sólo había cerrado un círculo.

En fin. Cambiar de vida. Era fácil decirlo. También era fácil decir "es fácil decirlo". Pero la lectura cotidiana de *El Orden* podía convencer a cualquiera de que no era tan fácil decir las cosas. No ya decirlas bien, que eso quedaba para gente culta y entrenada en el uso de la lengua. Decirlas de modo que se entendiera ya era una hazaña. Pero el lenguaje de la pintura ofrecía otras alternativas de comprensión. En alguna de ellas, en el nicho acogedor que presentara, podía ser fácil hacerlo.

IX

Las mojarritas giraban a media agua en el arroyo, indiferentes a la corriente que se las debería haber llevado hacía rato. Por momentos el movimiento del agua se hacía tan lento que sólo lo delataba el cambio de lugar de una hoja flotando en la superficie, y eso sólo si se la triangulaba con otras dos. Había notado que esos pequeños peces oscuros preferían la orilla, seguramente porque ahí el agua se remansaba. Se hacía fácil atraparlos; él habría podido hacerlo, con sólo meter la mano. Eran como los niños, antes de aprender el miedo. Su inocencia era su elegancia, y eran realmente elegantes, a pesar de ser unas feas sombras delgadas, en sus rondas ociosas; transfiguraban el tedio. ¿O era el agua la que hacía todo el trabajo?

Pereza submarina, piedras encerradas en el fondo, cabelleras verdes meciéndose, fondos muertos: la familia de la transparencia, en su lupa, enumeraba pensativo. Volvió la atención al jacinto cortado que sostenía por el largo tallo, acercándolo y alejándolo del rostro. Había marcado el fin del paseo, no era común encontrar las últimas flores grandes del fin del verano. Se iban lejos, y él había adoptado una vida de cerca. Llegó a esta campana de verdores, donde el arroyo se precipitaba al espacio central, y lo encontró. Le haría compañía. El aire tenía un dorado oscuro, y estaba vacío: las libélulas preferían el sol. Estuvo un rato mirando las mojarritas.

Emprendió el regreso, sin apuro, balanceando el jacinto. No había senderos, no los había en ninguno de los muchos tramos del arroyo, que era en definitiva el único camino, el que camina solo. El agua se había callado. Un pájaro. Miró. Lo invadió un enorme cansancio, físico y mental. No obedecía a nada preciso, ya que no había hecho nada en todo el día, ni le había exigido nada especial al pensamiento. Se dio cuenta de que ni siquiera se había tomado el trabajo de contar los pescaditos. La gente creía que la vida en el seno de la Naturaleza era el remedio infalible contra todos los cansancios, sin saber que los había inherentes a la condición del ser viviente. ¿Y acaso un hombre de edad avanzada, como él, no era un ser vivo? La vitalidad se amortiguaba, claro está, pero también se afinaba.

El canto de las ranas empezaba con el sol rasante, con esas rayas amarillas discontinuas que se colaban a los recintos del pintor por entre los árboles. A los coros había empezado a encontrarles un encanto que les faltaba cuando llegó. Cantos de pájaros, el grillo, los zumbidos de toda clase de insectos. Pero lo mismo era el movimiento, las zambullidas de las nutrias huidizas, la carrera del pequeño cuis, el vuelo, la inmovilidad estentórea de la lechuza: todo tenía su propósito, aunque no fuera visible. Había que hacer la inmersión profunda en el mundo natural para ver hasta qué punto las intenciones estaban en todas partes. Indescifrables, ciertamente, porque nadie podía decir qué movió al pájaro a volar de este árbol a aquél, o a la mosca a dar la vuelta por donde había venido. Pero por algo lo hacían. Se guardaban sus motivos. A diferencia de la vida en las ciudades, donde la expresión de las conductas las hacía caer como pesas de cinco kilos en una delgada lámina de agua de azahar, en la Naturaleza el hombre solitario podía sentirse acolchado por todos lados por las intenciones misteriosas, tan numerosas como los átomos.

El día, que parecía terminarse, se alargó, y en ese lapso apareció un linyera de los que acampaban bajo el puente de la carretera. Se puso a hablar, con filosofías que debía de rumiar en sus soledades. ¿Qué hay después de la muerte?, decía, y aunque no esperaba respuesta porque quería darla él mismo, el pintor le preguntó a su vez: ¿Qué va a haber? Se respondió: Nada, por supuesto. Adhería a la opinión corriente según la cual el hombre era una estructura biológica, todo lo compleja que se quisiera, pero dotada de vida, que era lo que tenía para funcionar; a la muerte simplemente no la tenía. Le extrañaba que la gente se hiciera esas preguntas ociosas, y más que se las hiciera este linyera, que era joven bajo su aspecto desgastado por la vida que practicaba. Estaba definitivamente estropeado, la piel apergaminada, casi negra, los dientes ausentes, el cuerpo torcido en una curva animal. Esa misma anticipación del deterioro podía haberlo llevado a la religión. O quizás sólo estaba queriendo hacer conversación.

Él por su parte tenía algo más que el sentido común para no creer en la vida de ultratumba, y así se lo dijo al linyera. El arte que practicaba, la pintura...

—¡Ah! ¿Usted es pintor?

—Lo soy. ¿Por qué si no me habría venido a vivir al arroyo?

—A mí me habría gustado ser pintor. Así como me ve ahora, tuve una inclinación por la belleza. Pero la clase de vida que es la mía me lo haría difícil. Ya bastante tengo que cargar, aun reducido a lo imprescindible. Y cargar esos pesados cuadros, con los marcos dorados y los gruesos vidrios, me mataría en mis largas marchas. Dos o tres podría llevar encima, pero ¿qué son dos o tres cuadros para un pintor? Nada. Yo calculo que se necesitan por lo menos cien para que a uno lo tomen en serio.

No le contestó nada. ¿Qué iba a decirle?

—Pero usted me estaba diciendo que no cree en Dios por ser pintor.

En realidad, lo corrigió, no se refería específicamente al Gran Tentador. Decía que la pintura, al representar al mundo visible, terminaba haciéndole entender al que la practica que también había pintura en blanco, espacios sin imágenes, planos vacíos. De tan visible, lo invisible rompía los ojos. Uno entendía que después del Todo venía la Nada.

Su interlocutor había dejado de escuchar. Parecía impaciente por exponer su punto de vista. Qué típico, pensó el pintor, nadie quiere oír disertaciones inteligentes, a la primera de cambio interrumpen para contar sus anécdotas sosas o exponer sus estúpidas opiniones.

La historia que el linyera estaba tan ansioso por propinarle tenía un viso delirante. Había estado cerca de la muerte, por eso hablaba con conocimiento de causa. En realidad algo más que cerca: se había metido en ella de cabeza. Tirado en el barro una noche, rendido por la fatiga, febril, con disnea, entregado a la suerte perra, sintió una opresión aguda en el pecho, como si una gorda oveja de piedra se le hubiera dormido encima. Supo que estaba en el umbral de la casa de la Pelona. Ya que la tenía tan cerca, pensando que la oportunidad podía no volver a darse, jugado, sin nada que perder, entró en cuatro patas a curiosear.

La casa del Más Allá, tal como la vio en esa ocasión y se le grabó en la memoria, empezaba con un living-comedor no muy grande, despojado pero acogedor; de un lado había sillones, del otro, en un desnivel un escalón más bajo, una mesa. Los sillones eran tres: uno grande de tres cuerpos, contra la pared, y enfrente dos sillones individuales, los tres con el mismo tapizado de cuerina marrón claro. En medio de este conjunto, una mesita baja con tapa de vidrio. Todo esto posado sobre una alfombra color borravino. En la pared sobre el sillón grande un cuadro que representaba un paisaje con un lago. En un rincón una mesita de apoyo, con una lámpara.

Al costado, la mesa, que era de buena madera oscura, lo mismo que las seis sillas, dos de cada lado y una en cada cabecera, un jarrón con flores de plástico en el centro. En la pared otro cuadro gemelo del otro, pero con pequeñas diferencias.

—Qué poder de observación.

—Es que sigo viéndolo como entonces. Me limito a decir lo que veo. Y hay más.

En efecto, había mucho más: los dormitorios, la cocina, el baño, el lavadero, pieza por pieza del mobiliario, sin perdonar las arañas ni las baldosas. Terminó diciendo que no se arrepentía de haberse atrevido: el tesoro entrevisto quedaba en su memoria. El pintor no lo contradijo. El Más Allá de unos podía ser el Más Acá de otros, pero eso entraba en las generales de la ley. Además, sobrevivir a esa descripción tenía algo de heroico. Lo felicitó. Para sacarlo un poco de esos misticismos de entrecasa (justamente a él, que nunca había tenido casa), lo llevó a cuestiones prácticas.

El linyera dijo saber perfectamente que su estilo de vida se prestaba a toda clase de críticas. Sin compartirlas, las entendía; de hecho, prefería las críticas a esa insultante mitificación que hacían los imbéciles, de la "vida libre", la supuesta "poesía" de "dormir bajo las estrellas"; más honesto era tratarlos de vagos, improductivos y marginales. Reconocía que había algo de verdad en estas descalificaciones; no obstante, y sin renunciar a los privilegios, reales o supuestos, del aire libre, él estaba dispuesto a hacer algo por la sociedad y el país. Pero para eso debería tener tiempo, para pensar qué hacer, organizarse para hacerlo, preparar el instrumental, el físico y el mental. Y no tenía tiempo, en ese sentido el nomadismo era muy exigente como devorador del tiempo útil. Siempre debía estar en movimiento, los propietarios de las tierras no tenían mucha paciencia con los crotos, las autoridades estaban atentas a la menor demora antes de la siguiente partida, todo lo permanente les estaba vedado. El cuerpo sufría, y a las energías mentales había que ahorrarlas para los obstáculos del camino. No se quejaba porque era la existencia que había elegido, y además sabía que la falta de tiempo era un mal universal. En este punto buscó la aprobación de su interlocutor, pero no la encontró. La pintura, dijo el pintor, tenía eso de bueno, como la tenía cualquier otra disciplina artística. Al trabajar con una materia en la que primaba la excelencia, con un mínimo bastaba para llenar la jornada: un punto, una línea, y hasta mañana. El resto del día quedaba libre para no hacer nada. Cuando se trabajaba para la Eternidad, terminó pomposamente, el tiempo se ponía de parte de uno.

Pero se había quedado pensando en algo que el linyera había dicho antes, lo de la "inclinación a la belleza", y lo trajo a colación, con un visible barrunto de duda. No lo dijo, pero ni el porte ni las elecciones vitales del sujeto parecían ir en dirección de la estética. La respuesta fue enfática:

—Así como me ve, podría decir que vivo para la belleza.

Dijo que habría podido mencionarle decenas, o cientos, de ejemplos que lo demostraban, pero se daban en momentos demasiado fugaces, o demasiado interiores, como para que pudieran contarse. Uno solo se podía contar, el más antiguo y en cierto sentido la matriz de todos los otros.

Había sucedido cuando él era un niño de seis años y vivía con su madre y su abuelo en Huangelén, en un puesto alejado de una vasta estancia. El ranchito que habitaban estaba a la vera de uno de los caudalosos arroyos que desembocan en el Copiapó. Niño sin juguetes ni escuela, sus únicos amigos eran los dos perros de su abuelo, Tigre y León. Para una festividad de los patrones de la estancia, mandaron regalos a los puestos, y a él le tocó una armónica, una Hohner alemana de sonido diáfano y nueve tonos. Sin instructor, por pura intuición, aprendió a sacarle las notas necesarias para hilvanar ingenuas melodías que él mismo inventaba. Nacía en él una sensibilidad en la que se reconocía con sorpresa. A despecho de su tierna edad ya trabajaba ayudando al abuelo en las tareas que le competían en ese puesto angular de los vastos territorios que ocupaba el latifundio. Los momentos de los que disponía para practicar la música eran pocos, pero los aprovechaba con fruición. Su lugar favorito en esas ocasiones era un rincón verde de los oteros, donde el murmullo del arroyo hacía un contrapunto mullido a las notas tentativas del niño.

Un sobresalto, una distracción, la fatalidad... nunca supo qué... algo hizo que la armónica escapara de sus manos y su boca, rodara como un animalito vivo de latón brillante por la barranca herbosa y de un brinco alegre se zambullera y fuera al fondo.

Ni pensar en rescatarla. Allí el arroyo era hondo, con pozos y remolinos, y el niño (que después sería el hirsuto linyera que estaba contando la historia) era, como lo habían sido las generaciones que lo precedieron, un ser eminentemente de tierra. Tuvo que resignarse.

Por temor al reto por la pérdida del regalo de los patrones se quedó en el lugar, enjugando las lágrimas. Cayó la noche y él seguía allí. Se durmió. A la medianoche lo despertó una música. Buscó en su oído y no encontró nada. Las notas de armónica venían del fondo del agua, que limpiaba todas sus impurezas y cuando llegaban a la superficie y se elevaban en el aire nocturno eran como el canto de las calandrias celestiales. Conservaban algo de acuático. ¿Eran los peces los que soplaban? ¿O los pulpos dorados del Napostá, o los sirénidos que se desprendían de los glaciares de las sierras? Nunca lo supo. Las melodías no tenían otro origen que las horas de la medianoche. A lo largo de su vida buscó en todos los cursos de agua del sudoeste de la Provincia una repetición de esos solfeos submarinos, lo que les dio a sus peregrinaciones un propósito y una esperanza.

El pintor, que había quedado bastante impresionado por el relato, reconsideraba al hombre que tenía enfrente:

—Aun en la precariedad económica, usted tuvo algunas ventajas relativas, y el vocabulario suficiente para abrirse paso en la vida. ¿Cómo es que cayó en un desamparo tan completo?

En cierto modo, le dijo el linyera, la explicación estaba en la armónica. Como a tantos hombres, en realidad como a todos los hombres, le habían salido al paso oportunidades de cometer crímenes y delitos que habrían llenado sus bolsillos y le habrían permitido tener casa y familia. Pero no se atrevió. No era que le faltara valor, aseguró; lo que temía era que la confesión de sus fechorías saliera del fondo de él, como la música del fondo del agua (el episodio lo había marcado). Y un criminal que confesara era demasiado patético (en eso había que darle la razón). Sin contar con que la confesión lo mandaría de cabeza al calabozo.

—Fue así –terminó– que me quedé pobre.

—Pero una cosa es ser pobre y otra ser un linyera, si me permite la expresión.

—Nosotros nos llamamos “caminantes”. Y no estoy de acuerdo con su distinción.

El desaliento que parecía ser su segunda naturaleza afloraba otra vez, después de los entretenidos relatos que lo habían mantenido a raya. Sabía que para tener algo había que trabajar, y definitivamente no quería hacerlo. ¿No quería ser explotado por patrones que se enriquecían con su sudor? En parte por eso, convino, pero más por la convicción de que fuera cual fuera el trabajo, no lo haría bien. Y para no hacerlo bien, prefería no hacerlo.

X

Le habían advertido contra los linyeras, cuando anunció su decisión de ir a pasar una temporada en un pabellón provisorio a orillas del Pillahuinco. Pero sabía que no constituían un peligro, todo lo más podían sentirse molestos porque él fuera a invadir el territorio que habían hecho suyo. No hubo nada de eso. Los confirmó inofensivos, y hospitalarios a su modo, en los que encontró en su primer año de vida retirada. Eran hombres de inteligencia muy limitada, no se habían retirado de la sociedad por gusto sino por no poder funcionar en ella. Como miembros de una institución silvestre nacida de circunstancias históricas muy especiales, no podían perdurar, los avances de la civilización los extinguirían naturalmente. Algo de ese futuro ya estaba inscripto en ellos, les daba un barniz antiguo, como si fueran de esos seres de los que se ha oído hablar pero se duda de su existencia, y un día se le aparecen a uno. Sus desarrollos mentales eran anormales, lo que los hacía tímidos como animalitos, dulces en el trato. El peligro estaba más bien en encariñarse con uno, como con una mascota amable, y asociarlo a su soledad. Se cuidó de mantener la distancia, para no distraerse de la empresa espiritual en la que estaba embarcado. No había mucho riesgo de todos modos, porque ellos seguían pronto su camino, temían molestar, un arraigado complejo de inferioridad les hacía creer que nadie los soportaba mucho tiempo

Estos encuentros eran raros, lo mismo las visitas que le hacían sus amigos; había habido no más de media docena en el verano que terminaba, y el invierno anterior, de lluvias constantes, su aislamiento había sido casi total. No lo lamentaba, al contrario; se había descubierto un temperamento adecuado a la vida del anacoreta. El despojamiento contribuía a hacer de la soledad una experiencia con varios desenlaces. Tenía muy pocas cosas de qué ocuparse. La casita, que era menos una casa que un refugio o mirador, se la había hecho Guarco el carpintero según el modelo que le dibujó; un minúsculo dormitorio y una minúscula sala constituían el todo, con paneles corredizos que hacían de ambos ambientes tanto cuartos como terrazas o decks abiertos al aire. No favorecía la silla ni la cama, remplazadas por cómodos plegamientos. El Carusita servía tanto para cocinar como para calefacción, y al Sol de Noche lo usaba menos que los velones en miniatura. El resto del menaje estaba guardado en dos cajas de madera roja imitación laca; el piso, en teselas de pinotea, lucía siempre un encerado natural. La estructura había sido cambiada de lugar tres veces en el año que llevaba en el Pillahuinco; cuatro hombres que le mandaba un conocido dueño de un corralón de materiales alcanzaban para moverlo, la casita era liviana como una pluma; estas traslaciones eran la condición para ocupar terrenos fiscales; al final del verano estaba en un alto herbáceo frente a un remanso, donde los sauces formaban semicírculos anillados, a un kilómetro de la ruta. Se había ocupado de que todo dentro tuviera el refinamiento del orden. Un jacinto en un vaso ponía una nota de impermanencia.

No le faltaban visitas de parte del mundo natural. La lluvia era una. Contemplaba todo su desarrollo, como un cuento bien contado. Las nubes se acumulaban, siempre en procesos diferentes, para producir el aguacero o la llovizna, las gotas sueltas del anuncio, la profusión resultante. Y estaba la colección de truenos, de los que la leyenda decía que habían estado todos en una caja, ordenados en celdillas con los nombres en latín de cada uno; alguien dio vuelta la caja, los truenos cayeron al cielo y se dispersaron, en un atroz desorden que ya nadie pudo remediar.

En el techo del pequeño pabellón había hecho abrir una claraboya a la que en lugar de vidrio le puso una mica gelatinosa, de la que se usaba en los laterales de los Jeeps. Ese material tenía algo de orgánico, por lo que en el ambiente vegetal del bosquecillo del Pillahuinco hizo simbiosis con los musgos y el habitante se regalaba con conos de luz aérea.

La casita había quedado plantada entre las plantas de melón silvestre; con la evaporación del rocío el aroma se hacía intenso, las hojas palpitaban, los gruesos cascarones blancos se resquebrajaban con ruidos sordos.

La persecución de las ágatas y los topacios de la orilla era un ejercicio al que se dedicaba de vez en cuando, para mantener vivas las capacidades de la visión; además lo obligaba a un despliegue físico conveniente en alguien que llevaba una vida contemplativa. Eran muy distintos entre sí. Las ágatas se disimulaban entre los guijarros del fondo, escondían sus entrañas rosas bajo un caparazón bituminoso, pero se delataban en la fuga, cuando a favor de un desprendimiento daban un salto y se dejaban llevar por la corriente. Había que estar muy atento y actuar muy rápido para atrapar esta piedra que no parecía piedra. Cuando cazaba una, sin sacarla del todo del agua, sentía el peso, adivinaba su vida interior, y la devolvía a la corriente, a que siguiera su extraña vida de tesoro. Con los topacios era distinto, pero también los devolvía, los volvía a incrustar entre los cangrejos enanos, el azul intenso de sus corazones volvía a ocultarse en la profundidad de la superficie.

La salamandra, otra visitante residente, lucía su inmovilidad. En observaciones prolongadas, nunca menos de hora y media, se la podía ver o bien demasiado chica para franquear, en su lapso de vida, la distancia que la separaba de los insectos comestibles, o bien demasiado grande para que no la vieran los pájaros que se la comían. Esto debía explicar que no se moviera nunca. El gran Tata Dios verde, raro, muy de vez en cuando aparecía, con tantas articulaciones como hojas tenía un árbol.

Pensar, soñar, ocupaba su tiempo, o bien se preparaba un bocado, una ensalada con los exquisitos berros que escogía del agua, dormía la siesta esperando los colores y las sombras de la tarde. Absorbía una productividad vasta en su alma. El último trabajo que había realizado antes del retiro fue el plano pormenorizado del pequeño pabellón, para que se construyera de acuerdo a sus deseos. Fue un desafío: desprovisto de conocimiento de ingeniería, de pesos y medidas, debió hacerlo a pura sensibilidad de dibujo: creyó que con eso bastaría, y así fue. Partió de un dibujo intuitivo del conjunto, como si un espíritu visionario se hubiera apoderado de él. Fue inventando sobre la marcha (no tiró ningún borrador; todo servía). Lo de las paredes corredizas se le ocurrió cuando el papel en blanco entre las líneas que representaban uno de los lados lo hacía parecer transparente.

Podía llevarse a la realidad esa ilusión, haciendo que los paneles se deslizaran uno sobre otro, y así podía abrirse todo el contorno. Tuvo que dibujar la secuencia, con flechitas indicando el movimiento. En ese punto se dio cuenta de que debía dejar sentado cuál creía que era el mejor sistema de rieles, no sabía cómo lo harían los profesionales pero a él le bastaba el sentido común; el riel, el encastramiento móvil de la parte fija y el panel tenía que ser dibujado en otra escala. Lo mismo pasó con otras partes, y a partir de ahí hubo una loca danza de escalas, porque cada detalle exigía la suya propia.

Lápiz en mano, la preocupación por ser bien entendido no lo abandonaba. Guarco era un carpintero con experiencia, pero debía de estar más habituado a recibir instrucciones orales que en el papel. De ahí que su dibujo tendría que ser claro al máximo y descartar cualquier ambigüedad. El detallismo se volvía alucinatorio, cosa que habría preferido evitar porque después la realidad corría peligro de desilusionarlo. Esas líneas delicadas, esa elegancia en el papel, no estaba ahí para deleitar el gusto sino como tutorial para la construcción de una estructura habitable. Habría preferido hacer un feo dibujo desmañado, para luego admirar la belleza del objeto hecho. Pero ese dibujo feo llevaría a un objeto mal hecho. En medio de esas intimaciones paradojales trabajó hasta quedar satisfecho de no haber olvidado nada.

No olvidó que debía mostrar el pabellón desde distintos ángulos, como para que no hubiera confusiones. Incluso debía mostrarlo desde arriba, en visión cenital, con la claraboya en uno de los cuadrantes del techo, no en el otro. Y desde abajo, como si lo viera flotando en el espacio, para ubicar correctamente los listones que harían los soportes. Y debía quedar bien en claro qué iba a la derecha y qué a la izquierda. Las posibilidades que daba la perspectiva bien empleada eran enormes, el dibujo terminaba postulando un ojo múltiple que se desplazaba en un tiempo abolido. No podía evitar que naciera la belleza nueva en la extrañeza de lo múltiple.

La intención que presidió el trabajo del principio al fin fue la de ser bien entendido. Cada línea, cada punto, la dictaba el demonio de la Perfecta Comprensión. El dibujo no se terminaba en sí mismo sino que era el protocolo de un trabajo en la tercera dimensión, una vía regia al volumen. Era un caso especial de dibujo, pero quizás en todo dibujo estaba latente esa segunda instancia, que después de todo era la de la realidad. Por algo durante siglos los pintores habían venido afinando y ajustando las reglas de la perspectiva.

XI

Podía dormir muy profundo. A su edad, no era muy común; y lo era menos en él, que siempre había tenido el sueño liviano y escaso. Por esto, y aunque en realidad nunca había sufrido de insomnio, se había hecho la idea del sueño como un tesoro casi sobrenatural, una riqueza oscura que concedía un Genio benévolo. Salía del frasco donde había estado encerrado mil años (la tapa a rosca: por fuerza que hiciera desde adentro no iba a poder abrirla), y agradecido le ofrecía hacerle realidad sus deseos. Pero no se le ocurría qué pedirle. Por defecto, mencionaba "el sueño profundo". Así lo veía él. Pero lo veía de lejos, con cautela, de los tesoros convenía no hablar, había demasiados interesados en la propiedad ajena. Hasta pensar en ellos era peligroso, porque el pensamiento, que parecía tan secreto, siempre se revelaba por signos sutiles. A tal punto llegaba en él esta negativa a pensarlo que no sabía si había dormido o no. Por eso las noches en el Pillahuinco tenían una textura de irrealidad.

Pero era la realidad lo que sentía con más fuerza cuando acodado en la baranda de su saloncito vuelto terraza o mirador, seguía el trayecto de la Luna. Era tan real que desafiaba a la mirada. Las formas del astro blanco que veía subir entre las ramas de los sauces eran la geometría de la noche, la lección de geometría. Se la veía a la vez indefensa, expuesta, pero también inexpugnable. Lejana, irónica, no le importaba nada de los hombres. No tenía casa, la gran viajera. Su relato, siempre repetido, desdeñaba la banalidad de un desenlace, los acertijos del calendario que representaba habían sido resueltos ya por sus más antiguos admiradores. "Qué raro que no nos hayamos cansado de ella", pensaba. Por su parte, él buscaba en el cielo otra cosa, y a ella la veía sólo porque no podía no verla: buscaba el Sol que se ocultaba en la oscuridad. Sabía que debía estar ahí. Sabía que el Sol común estaba al otro lado del planeta, pero también estaba en lo más tenebroso del abismo del universo, "el Sol negro de la melancolía".

Pero no era cuestión de ponerse poéticos. Ni siquiera poner en palabras, que inevitablemente iban a falsear las impresiones. La poesía de los astros era su ausencia. Las noches sin Luna la gran avenida de estrellas se aquietaba, parecía hundirse lentamente en un mar de horas.

Los árboles estaban tan quietos como él; ellos tampoco se irían a ninguna parte sin antes haber llevado a buen término sus respectivas leyendas. Los insectos desvelados se llamaban desde las magnolias que sudaban rocíos espesos, plateados y dorados. Las grandes enredaderas negras tendían los tentáculos como gritos mudos, las setas explotaban con susurros, y el agua del arroyo, furtiva, daba esos pasos breves que la hacían irse con largas demoras. Sentía en las sienes una proximidad inefable. Su alma de soñador incorregible se expandía tanto en lo mayor como en lo menor, como un instrumento musical con dos teclados. Cuando la luz de la Luna se derramaba sobre las nubes, el dibujo de los bordes, dramático, sugería los Himalayas de los muertos, el tibetano reparador de la escritura automática de la medicina en sombras. La magnolia, enferma, se lanzaba a la escalada, con su tallo roto, coja, llorando.

La práctica de la noche iba creciendo, acumulándose, como un fenómeno químico. Los fluidos se hacían más densos, presionaban, obstruían el tránsito de los vasos, el globo ocular se nublaba, la sobreactuación de la retina creaba pantomimas. La quieta gestualidad de la planta llenaba la escena, Tarot del mundo subterráneo.

Por diversos indicios, recogidos casi sin querer a lo largo de los últimos meses, sabía (o sospechaba) que compartía sus jardines lunares con otro habitante del monte, furtivo, alguien que dormía escondido entre las hojas y las raíces durante el día, y merodeaba a la noche.

Era un ser esmirriado, un homúnculo, del tamaño de una mesita de luz, que se desplazaba con movimientos convulsivos, siempre ocultándose. La cabeza era dramática, demasiado grande, el pelo erizado, los ojos en llamas, las mandíbulas colgantes. Su única ropa era un saco negro de traje, que a un hombre de estatura normal le habría llegado a la cintura, pero a él lo cubría por entero y arrastraba por el suelo. Esa prenda contaba una historia. Había sido suya, de su traje dominguero, el que llevaba puesto el día de su desgracia. A medida que su cuerpo había ido disminuyendo, en la huida, fue descartando pantalones, chaleco, camisa, zapatos, hasta quedarse sólo con el saco, vuelto el manto de su vergüenza.

La psiquis de pintor le hizo entender este relato con la física literal de la mirada: en la huida uno se aleja, y al alejarse se hace más pequeño para el que lo contemple sin moverse desde el punto de partida. Pero el razonamiento contenía una falacia. Pues en ese caso se habría empequeñecido la figura entera, ropa incluida. Necesitaba más datos para entender.

Estaba a cierta distancia, al otro lado del arroyo. Las tintas de la medianoche se habían espesado. No se podía contar con la luz de la Luna, como una moneda de cinco centavos en el cenit. Y el ser del bosque buscaba la sombra y el amparo de los árboles negros. Pero se mostraba, se confiaba a la lejanía que parecía haberse vuelto un glifo orgánico más en él. Su terrible soledad lo había llevado a correr el riesgo. Las válvulas del existir actuaban en todos, también en este enano de las tinieblas.

—Maté a un hombre, en una pelea a cuchillo en el Barrio de la Estación –dijo.

Lo recordaba, había sucedido unos años atrás, cuando él todavía vivía en su casa del pueblo. ¿Y todo este tiempo había seguido fugitivo? Eso hablaba de la ineficacia de la policía, sobre todo porque el arroyo corría a poco más de un kilómetro del centro, y debería haber sido el primer lugar donde buscar. ¿O el último? A nadie se le ocurriría, menos a un policía, que un fugitivo de la Justicia elegiría vivir en el seno de la Naturaleza: esa iniciativa le iba mejor a poetas y reformadores sociales con ínfulas de autonomía.

—Pero en *El Orden* no decía que el vencedor de la justa era un… hombre de tan baja estatura.

No lo era entonces, dijo el enano de las tinieblas: era alto, normal, un hombre como los otros, que no habría llamado la atención en la Vuelta al Perro diciéndole piropos a las chicas o sentado a una mesita del Águila con la barra de amigos, tomando un vermut. Hasta que se dio la fatal circunstancia de matar. Cuando vio a un hombre desangrándose a sus pies (y lo veía, aclaró, desde la respetable altura de un metro setenta y cinco) comprendió que estaba condenado. No le servían los atenuantes de estar pasablemente alcoholizado, y de no haber actuado a sangre fría sino en un enfrentamiento de igual a igual. ¿Podía pagar un abogado, el humilde changarín que era? Iba directo al Penal.

Fue el miedo a las consecuencias, dijo, el que lo hizo escapar. Pero las consecuencias se fueron con él. Empezó a encogerse. La culpa crecía, quería ocuparlo todo entero, y como habría tardado mucho en ocupar al metro setenta y cinco de su formato original, para ganar tiempo lo achicó. Merecido castigo por lo que había hecho.

—Pero no era para tanto, después de todo. Pudo alegar legítima defensa, porque el otro podría haberlo matado.

—Es que era mi amigo, mi hermano, el hombre que más he querido, el único que me aceptó tal como era.

—Ah, entonces sí.

Esa fábula de la contracción por culpa no le cerraba. Esas cosas no pasaban en la realidad. Sí en la psiquis (que por lo visto estaba muy requerida esa noche). Lo que debía haber pasado era que siempre había sido un enano mal conformado, y se había inventado este pasado ilusorio para darle una razón novelesca a su deformidad. Pero el pasado no era del todo ilusorio, si el duelo había salido en *El Orden*; y era raro que en el artículo publicado no se mencionara que el perpetrador era enano. Sobre todo si había huido y lo estaban buscando, no podían haber omitido un rasgo de tanta importancia para identificarlo. O quizás sí lo mencionaban; recordaba que él no había leído la noticia (no llevaba encima los anteojos de leer) y el hotelero le hacía un resumen, no una lectura.

Había otra posibilidad: que la policía no supiera que estaba buscando a un enano. Los testigos del duelo habían dado el nombre del fugitivo, sin sentir la necesidad de hacer una descripción de su configuración física. Eso explicaría que no lo hubieran atrapado.

Todo tenía su explicación, sólo había que encontrarla. Todo lo que parecía sobrenatural lo parecía porque escondía, algunas veces mejor que otras, el juego de causas y efectos que lo producían. Pero la fábula que este hombrecito se había inventado era consolatoria, y si podía vivir con ella, dentro del horror que había creado para sí, lo más piadoso era dejar que siguiera cultivándola. De hecho, se le ocurrió que la podía perfeccionar: le dijo que tal vez su transformación no era obra de la culpa, sino de la Tierra, que lo acercaba a ella, como lo había hecho con los enanitos de Blancanieves, personajes ctónicos que conocían los secretos del subsuelo.

—Yo el único secreto que conozco es el mío.

XII

No habló de este encuentro con nadie, por dos razones distintas: una, por no quedar como un delator, traicionando la confianza que el fugitivo había puesto en él (y además la denuncia podía traer a la policía a hacer batidas en el arroyo y acabar la paz que había venido a buscar). Otra, más decisiva: para que no creyeran que estaba alucinando, o que la soledad le estaba haciendo perder la cordura; bastaría que un rumor en ese sentido llegara a oídos de sus hijos para que iniciaran acciones legales tendientes a declararlo insano y ponerlo a él y a sus bienes bajo tutela.

Una tercera razón era que no tenía a quién contárselo, aunque aquí había excepciones, porque de vez en cuando, en lo que llamaban "fin de semana", recibía la visita de alguno de sus viejos amigos. Uno de ellos era un ex intendente conservador, abogado, al que más de una vez, a lo largo de su carrera de comerciante, le había pedido opinión sobre asuntos legales. Habían sido condiscípulos en la escuela, o sea que tenían la misma edad, y experiencias similares ya que los dos habían vivido siempre en Pringles. Ya retirado, compartía con su amigo el espíritu contemplativo, en él más apuntado a la Sociedad que a la Naturaleza, y decía admirarlo por su valor al encarar una modalidad de vida diferente, sin importarle la opinión ajena. Él, por su parte, no abandonaba la casa de la calle Stegman y las comodidades y rutinas a las que estaba acostumbrado. Estacionaba el Packard al costado del puente y caminaba por la orilla hasta el pequeño pabellón entre las plantas de melón. Las primeras veces se había perdido, pero aprendió. Le llevaba noticias del pueblo, facturas del Cañón y una caja de genioles por si era necesario mitigar los dolorcillos de la edad. Tomaban el té en buena compañía, pasaban unas horas distendidas, después lo acompañaba de vuelta al puente y volvía a su mirador oculto con las últimas luces de un día que, sin que él lo supiera, había sido domingo.

—¿Cómo va el proyecto del mural? –le preguntó en la última visita que le hacía con buen tiempo (era muy aprensivo con los resfríos, y en el invierno no se dejaba ver).

Respondió con rodeos. Prefería no contaminar su trabajo con plazos; si una obra estaba destinada a la eternidad, el tiempo sólo podía restarle eficacia.

—Me importa más –dijo– llegar por el pensamiento a la libertad en la pintura.

—La Libertad en la Pintura... –repitió su amigo dándole a la formulación casual que había hecho el pintor la entonación de un título o un programa.

Los caminos que llevaban a la libertad estaban llenos de cosas que la pintura iba esquivando o saltando, como si su contacto fuera venenoso. Pero esos movimientos zigzagueantes eran el dibujo, y la transparencia que creaba ese dibujo era la pintura. Con el concepto de mural convenía tomar precauciones. Se trataba de llenar una superficie grande con superficies chicas, y eso no se improvisaba así como así.

—Hay que tener en cuenta que la pintura es "cosa mental" sólo a medias. Los objetos que pueblan el mundo antes han estado en el cielo de las Ideas. Para bajar al mundo y realizarse como cosa concreta adoptan una forma particular de entre los innumerables posibles que contiene la Idea de esa cosa, es decir que se empobrecen. El pintor tiene como modelo esa segunda instancia decaída y empobrecida, y lo suyo necesariamente será una tercera instancia, cada vez más lejos de la Idea original. Es más: si hace bien su trabajo, reproducirá en su cuadro precisamente aquello rasgos en lo que la cosa se aparta de la idea, como si se hubiera empeñado en hacer un catálogo de desviaciones y afeamientos. ¿Soy claro?

—Más o menos.

—Con eso me basta. Pues bien, aplicado mutatis mutandis al mural que se me ha encargado, la Idea del peronismo, desde el momento en que se hizo realidad y bajó al mundo o a la Argentina, hace diez años, adoptó una forma particular, imperfecta respecto del modelo ideal o ideático, y esa forma es la única de la que dispongo yo para reproducir. Y si pintar las degradaciones de la Idea de una silla o una mesa puede ser muy pintoresco y conmovedor, hacerlo con un movimiento de masas que además es un gobierno en funciones puede dar lugar a desaprobaciones. Así que hay que pensarlo dos veces por lo menos.

—Te conviene pisar el acelerador, si querés cobrar, porque el régimen se está tambaleando y cualquier día de estos tenemos una sorpresa.

Otro que había leído el diario de mañana. La especulación política lo aburría de antemano. El deseo de cambiar de tema le recordó una pregunta que le quería hacer: ¿cuál era el proceso legal para hacer declarar insano a un hombre mayor y quitarle la potestad de administrar sus bienes?

El viejo abogado, que por abogado y por viejo sabía con qué bueyes araba, no se sorprendió demasiado de que esa preocupación asaltara a un asceta en su cabaña del bosque. Casualmente tenía estudiado el asunto, y estaba pensando en escribir un artículo para publicar en *El Orden*, para ilustrar al pueblo sobre un punto que un complejo de tabúes hacía que no se discutiera abiertamente. De paso, para levantar un poco el nivel de ese diario decadente.

La simulación de la locura, empezó, era algo muy común en tiempos de guerra. Al pacifista acérrimo, al cobarde, al inteligente, les parecía más fácil y menos costoso fingirse locos que pegarse un tiro en una pierna, si lo que querían era evitar la leva compulsiva. Eso había obligado a la psiquiatría a perfeccionar sus instrumentos y procederes, para desenmascarar simulaciones que a su vez multiplicaban sus recursos (entre otras cosas, mediante la lectura de los libros en los que los psiquiatras difundían sus avances). En cada guerra las ciencias de la mente daban un salto cualitativo, del mismo modo en que lo hacía la industria armamentista y la técnica en general, dándole un buen argumento a quienes querían refutar a los pacifistas.

—Y conste que yo soy un pacifista convencido –declaró antes de seguir con su argumentación.

La simulación de la locura tomaba sus instrumentos del campo del arte, que aquí mostraba su utilidad, tan negada por los filisteos. Pero no de todo arte. El clásico, el que adquiría con el tiempo la calidad de clásico, no les servía, por reposado y razonable. Era el arte llamado de vanguardia el que tenía elementos útiles para el simulador de la demencia. Esa conjunción de conveniencias hacía que en las guerras o en la inminencia de las guerras las artes se despertaban del letargo en el que no habían sido de utilidad para nadie, y al verse revestidas de esta utilidad daban un salto cualitativo en materia de innovación.

—Pocos pacifistas convencidos le habrían encontrado tantos beneficios a la guerra.

El ex intendente sonrió ante la ironía de su amigo, y sin detenerse a responderle siguió desarrollando el tema, dándole un giro.

—Más difícil es simular cordura cuando uno está loco. El orate por su condición no puede establecer y llevar adelante la compleja estrategia que requiere la simulación de la razón. Es difícil hasta para los cuerdos... qué digo los cuerdos, ¡hasta para los filósofos es difícil!, tanto más para un pobre loco extraviado en sus desvaríos. Aun cuando logren hacer una actuación convincente, siempre hay algo que los delata. Pero ese "algo", en su revés dialéctico, puede ser lo que los salva, porque es el agujerito por el que se cuela la condición del arte. Ese punto loco es el margen por el que se lo reconocerá e identificará en la disciplina que practique. Ahí el simulador pasa al otro lado del mostrador: en tanto artista, es el proveedor de elementos de simulación, que se supone que usarán otros y no él.

La teoría era bastante oscura, y disonante en el tenor habitual de las conversaciones que sostenían. O bien el asunto le interesaba especialmente (pero en ese caso era raro que nunca lo hubiera tocado antes) o se había dejado llevar por las ganas de hablar nada más.

El pintor quedó con la impresión de que lo había inventado sobre la marcha, con la intención de mandarle un mensaje en clave que a él le correspondía decodificar. Pero aparte de que una pereza definitiva le impedía decodificar nada, no veía por qué motivo su amigo tendría que decirle algo de modo indirecto y alegórico. Salvo que sus hijos hubieran ido a consultarlo, en su condición de abogado, sobre la posibilidad de hacerlo declarar insano. En ese caso, si él los consideraba clientes, no podía violar la regla de confidencialidad, y se veía obligado a usar este subterfugio retórico para poner sobre aviso a su viejo amigo.

Una vez solo, acodado en la baranda de su terracita de pinotea, mecido por el cántico de los grillos viendo caer la noche, pensaba en el parecido de las patas de los pájaros y las sandalias de taco de las señoras.

XIII

Cuando sentía que la trama se espesaba, una risa la disolvía. La risa viajaba, y regresaba montada en los árboles y en el temblor de las telarañas al amanecer. Los sauces se sacudían las últimas gotas. La estación se instalaba con lentitudes de olvido. Las primeras escarchas hacían brillar la hora, como si una capa de aluminio líquido hubiera cubierto los sauces. El invierno anterior había pasado como un sueño derramándose sobre la realidad. Esperaba las realidades demoradas en el reflejo del agua. El perfil de las montañas de la Ventana, sobre el horizonte, latía expulsando sus tintas celestes. El paso de las nubes se hacía más visible cuando el ramaje se desnudaba. La Luna diurna lo vigilaba desde el primer momento.

Le sugería en su fijeza móvil que con una sola mirada bastaba. Porque una mirada, por enfocada que estuviera, nunca contenía una sola cosa. Había un conjunto, que bien coordinado equivalía a un cuadro o una obra de arte. El problema del cuadro, y ahí estaba la raíz de lo que estaba buscando, era la contigüidad de todo lo que se exponía en él. Las distancias aparecían sólo como signos. Era como si la atención ya hubiera hecho su trabajo y se hubiera retirado.

El curso de las estaciones le daba el esquema con el que podía entender estas relaciones de la pintura con el paisaje. En los calores del verano todo se expandía, las cosas y los seres se separaban creando destartaladas máquinas de supervivencia. En el invierno el frío contraía, el puño del mundo se apretaba. Vivía en el centro del diamante.

Pero la contigüidad iba más allá del mero estrujamiento espacial. Una plateada mañana de helada, cuando tomaba el té en la plataforma circular de su cabaña, oyó risas y voces: eran unos chicos bañándose en el arroyo. Las alegres zambullidas se sucedían, el estallido de gotas en el aire, los desafíos, otra vez la risa. La escena apareció ante su vista como si el aire abriera telones de aire, y a la banda sonora se le unió, viniendo desde atrás, el conjunto de figuras en movimiento. Los torsos mojados de los niños brillaban un segundo, se sumergían y volvían a aparecer, en el pasto habían quedado las bicicletas en las que habían venido. La actividad a la que se libraban era incongruente con la temperatura bajo cero y con la aurora. Pero para ellos era una tarde de verano, no psicológicamente, no por sugestión o hipnotismo sino porque la fuerza de compresión que ejercía el diamante sobre sí mismo atraía a los grandes veranos y los disponía en sus circuitos internos. Pacientes pescadores de caña, en los meandros apartados que frecuentaba la tararira y el sirénido, picnics fuera de lugar, y los que se escondían para espiar, o para besarse. Por fin entendía lo de Mahoma y la montaña. El farallón de mica se alzaba frente a él, transportando al árbol peregrino.

Por la noche se descargó la tormenta sobre los jardines del Pillahuinco. Esperó a que estuviera dormido. El trueno rompía el cielo, los relámpagos cegaban a los animalitos nocturnos de grandes ojos, y hacían más negra la tiniebla. Nubes del tamaño de ciudades bajaban hasta tocar las copas de los árboles y se abrían volcando torrentes de agua helada. El arroyo saltaba y se revolvía, azotado por los mimbres. Después de estos paroxismos vino la lluvia constante durante todas y cada una de las horas de la noche.

Al fin, amanecía. Se despertó más temprano que de costumbre, con una inquietud que le hizo abrir la fachada de su casita deslizándola sobre los rieles y sentarse en la penumbra vacilante. El día se abría paso con dificultad. Había una suavidad especial en el frío. Las plantas húmedas temblaban, un goteo discontinuo llenaba de verticales la escena. Su atención se agudizó de pronto. Alguien venia.

Era el fantasma de su esposa. Aunque no creía en la existencia de seres sobrenaturales o provenientes del más allá, la popularidad de las historias de fantasmas lo había informado sobre sus usos y costumbres; de ahí que pudiera notar en toda su dimensión la incongruencia de la ocasión, ya que la hora propicia para este tipo de apariciones estaba más cerca de la medianoche que de esta mañanita de cristalería. Ese solo detalle bastaba para indicarle que si estaba ante el inicio de un cuento de fantasmas, era uno heterodoxo.

En efecto, el fantasma se disponía a hablar. Otra divergencia. Las leyes clásicas del género exigían que los fantasmas hablaran sólo cuando se les dirigía la palabra, y él estaba tan atónito que no habría podido iniciar la conversación ni siquiera con una tosecita.

—Conozco de sobra tu idiosincrasia –comenzó el fantasma–, y sé de tu escepticismo. Tu don artístico, que a otros hace volar en alas de la más crédula fantasía, en tu caso te hizo un realista sin atenuantes. Pero espero probarte que estás equivocado, al menos en lo que se refiere al tema de los que vuelven del más allá.

Mientras ella hablaba, él sin moverse no le sacaba la vista de encima, temeroso de que si lo hacía, si llegaba a parpadear tan siquiera, la aparición se disolviera en el aire antes de darle la información que había venido a darle.

—Te lo probaré apareciéndome esta noche ante tus ojos. Te recomiendo que me esperes despierto. Entonces te convencerás.

Tal como lo temía, se disolvió en el aire, que mientras tanto se había seguido aclarando. Al menos había alcanzado a hacer la cita. Tanto se había concentrado, apretando todas sus facultades mentales en el esfuerzo de entender y retener el mensaje, que con la desaparición lo que había atrás y al costado de ella, árboles, pasto, agua, cielo, pareció estallar de un exceso de realidad.

Pasó el resto del día, que fue uno de esos breves días de invierno, esperando la noche. De hora en hora, alternaba entre la duda y la esperanza. La razón, que había ejercitado sin pausas a lo largo de su vida, le decía que era imposible. Había aceptado la muerte de su esposa, con toda la pena de sentirse abandonado y a merced de los jóvenes, como un hecho natural, la natural aniquilación que era el destino final de todos. Las aventuras de ultratumba pertenecían al terreno de la ficción. Pero sentía un reproche interno. ¿Dejaría que la soberbia de la Razón le impidiera ver a su amada esposa, sobre todo si ella se tomaba el trabajo de volver? Los años de su matrimonio, que equivalían a toda una vida, fueron los más felices para él, los años en que su arte floreció, asentado paradójicamente en la organización menos artística: los horarios regulares, la comida casera, la crianza de los hijos, la atención del comercio, las salidas de los sábados. Quizás no había paradoja ahí: ese fluir tranquilo de los años le hacía sentir el verdadero sabor de la vida, no en el sobresalto de la experiencia sino en su absorción lenta y profunda, que se quedaba para siempre.

El anuncio parecía serio. Tenía que serlo. Habría sido una crueldad inútil hacerlo por broma o por crearle falsas expectativas. Pero estaba el hecho incontrovertible de que los fantasmas no existían. ¿O sí? Había tanta gente que creía en ellos, tantas culturas antiguas, sabias y refinadas por lo demás, que les habían dado crédito. Quizás todo estaba en creer, y aceptar la alucinación consiguiente. Si era así, no funcionaría con él, por causa de su compromiso con la realidad.

En estas vacilaciones del ánimo transcurrieron las horas, y cuando se quiso acordar ya era de noche. Fue una suerte que hubiera tenido tantas dudas que sopesar, porque de otro modo la espera habría estado vacía, y por vacía habría sido insufrible. Había perdido la costumbre de esperar. Las primeras sombras le dijeron que la hora se acercaba. Pero se prohibió la impaciencia, que era adversa a su sistema. La oscuridad bien entendida fomentaba unas paciencias sublimes.

No había luna. Las estrellas apenas se veían. Un gran silencio se absorbía en las cosas. Sin embargo, se decía, hay muchos seres pequeños hablando a mi alrededor, y es mi cerebro el que anula todo lo insignificante para que resalte lo que me importa. ¿Pero hay algo que me importe, a esta altura?

A medida que pasaban los segmentos de la noche se iba dando cuenta de que lo que estaba en juego era el viejo tema, tan central, de la ocupación del tiempo. La casualidad había querido que él encontrara, y se encontrara practicándola, la actividad que parecía más extrema entre todas las que se aplicaban a la ocupación del tiempo: esperar la aparición de un fantasma. Debía aprovechar esa excepcionalidad para pensar algo inteligente. Fue la ocasión de darse cuenta de que uno decía "viene un auto", o una moto, o una bicicleta, cuando en realidad lo que venía (o iba, o pasaba) era un hombre en auto, no un auto solo. Era una confusión corriente, que se había hecho carne en el habla, la parte por el todo, pero la parte elegida había sido la inhumana. Con el fantasma pasaba lo mismo: "viene un fantasma", pero lo que venía era alguien en forma de fantasma. Y el símil podía extenderse a las sensaciones que causaba. Recordaba su infancia, cuando había muy pocos autos en Pringles, estruendosos catafalcos negros que marchaban por las calles de tierra sembrando espanto. Cuando las madres oían uno a lo lejos hacían entrar a los hijos que jugaban afuera, y no los dejaban salir hasta que el ruido del motor se perdía a lo lejos. Era el miedo por la muerte inminente, mientras que el miedo, totalmente infundado, que podía producir el fantasma provenía de la muerte ya ejecutada, y ajena.

Estas interesantes reflexiones no fueron más lejos, porque pasó algo. Hubo un armónico silencioso, como si el silencio retumbara, o se hiciera un eco profundo de sí mismo. Los árboles parecieron más quietos y más próximos entre sí, a la vez que se abrían en caminos que daban a la oscuridad. Le llegó un perfume conocido. Y entonces…

Era ella. Su esposa. Volvía con una sonrisa, una mano levantada mostrando la palma, como diciendo "No te asustes, no voy a hacerte nada, ni siquiera reprocharte por haber roto la tulipa del living cuando la dejaste mal atornillada". No, no lo haría. Era un fantasma benévolo que venía en tren de recuerdo y amor. Y de todas las figuras que podía haber empleado para su aparición había elegido la que a él más lo conmovía: no la muchacha que había conocido y cortejado en los bailes de Alem, sino la matrona robusta de los años de plata. Y el vestido era uno de los de salir, el collar de perlas, el broche con los brillantitos, todo transparente como se puede ser transparente de noche. Seguía viniendo hacia él, por ese Melody vegetal, con la sonrisa que lo decía todo.

Su incredulidad sufrió un duro golpe. Durante muchos días siguió pensando en lo que había pasado, y siempre un sentimiento de presente pleno interrumpía sus pensamientos. No podía negar la realidad de la aparición, porque sería como negar la realidad de todo; y sin embargo algo le decía que a la realidad de todo sí podía negarla. Como fuera, la dulzura de lo que había pasado seguía en su pecho. Se preguntaba si él habría hecho por su esposa lo que ella había hecho por él.

XIV

No todos se ponen tan contentos con la llegada de la primavera. Sobre todo con sus primeros anuncios, esos botones verdes que aparecen una mañana en las ramas de un árbol que uno se ha acostumbrado durante largos meses a ver seco, dibujándose en líneas netas sobre el fondo de la luz. A partir de ahí el proceso es muy rápido y en unos pocos días ya hay que resignarse. Pero ese primer anuncio, el recordatorio de su inminencia, sobrecoge, contrae el corazón con algo parecido, o demasiado parecido, a la angustia. La primavera es la estación más cargada de tiempo, del peor, el que vuelve. Lo peor está en que los animales y las plantas celebran, a su modo, se reproducen, brotan, ponen huevos, y pretenden que el hombre participe de este alboroto de alegría. ¿Cómo sobreponerse al invencible desaliento del año, a la corriente de la vida, al sarcasmo de los pajaritos, al abejorro?

Junto con el invierno se iba el dibujo, venía la pintura. El entramado de ramas desnudas, filigranas negras sobre el blanco de nieve del cielo, se tapaba con las pantallas verdes. Había que despedirse de la transparencia y prepararse para los biombos coloridos de lo próximo. La distancia le cedía su lugar a la contigüidad, el pensamiento tenía que adaptarse. Para lo cual habría que emplear algo por lo menos de inteligencia, a lo que el pintor, por lealtad al gremio, se negaba. A los sueños de la razón prefería los de la sinrazón. El cambio de estación le planteaba problemas. Estaba de acuerdo, ¿cómo no estarlo?, en que refinando lo suficiente el espíritu uno se volvía liviano como el helio y flotaba a la deriva montado en el viento, hasta atravesar el agujero de la Sierra de la Ventana como el gaucho hábil que al galope del caballo acierta a la sortija y se la lleva en triunfo en medio de los aplausos. Pero no había que volar lejos para oler el perfume de la flor o contar las gotas de rocío colgadas de la telaraña. Todas las novedades que preparaba esta incipiente primavera estaban al alcance de la mano, aplastadas contra la falta de perspectiva

La mayor astucia de la primavera era hacer creer que no llegaba. Pero los indicios hablaban por sí solos. Las heladas se hicieron menos frecuentes, las plantas amanecían bañadas en rocío brillante, la hierba reverdecía y asomaban aquí y allá las violetas. La magnolia, que se había plegado en ocho espectros al bies, estiraba sus miembros, se despertaba su sangre blanca. A él lo despertaba el dorado del aire, como un gran bemol. En la plenitud de la soledad su atención se había afinado y atrapaba los hechos más pequeños como una telaraña de malla apretada. Lo cercano había ampliado su percepción hasta volverla un plano flexible que se extendía paralelo al cielo, pero con crestas. Lo lejano, en cambio, se le había comprimido como un punto, dentro del cual cantaba un pájaro. El ronquido de los tractores que empezaban a arrastrar los arados se confundía con el deslizamiento de las placas en las entrañas de la Tierra. Al sur, las montañas se vestían de azul. Las lluvias finas pasaban como damiselas, lluvias vecinas, en curvas amables, habitaciones llenas de taburetes azules, la música que se quedaba en el fondo del arroyo y la que salía a la superficie, tan distintas que no se podía decir si las dos eran música, o una de ellas era otra cosa. Y él siguiendo el vuelo de un mamboretá soñaba despierto con el plano y el punto. Puntos imaginarios en planos reales.

Si bien ya estaba avanzado septiembre, la anunciación seguía. Mejor así. Todo debería quedar en proyecto y promesa, para ahorrarse decepciones. El largo invierno de recogimiento y visiones le había hecho dar un paso adelante, y no estaba dispuesto a renunciar a lo logrado por el canto de sirenas de las tinturas floridas. Cuando se emprende una conquista espiritual en la que está en juego el noble arte de la pintura ninguna precaución está de más. Tampoco de menos, porque había aprendido a patear en contra cuando correspondía. Aislado en los repliegues monteses, sin obligaciones, entregado a la contemplación y dueño de su tiempo, en Pringles se decía de él (lo sabía por sus ocasionales visitantes) que "podía concentrarse en su obra". Eso tenía algo de cierto, metafóricamente, pero era falso en lo literal: el arduo trabajo de artista que él llevaba a cabo en estos años de anacoreta consistía en desconcentrarse, ampliando la atención más allá de sí misma. Efectivamente, se trataba de abrir la mente, no de cerrarla, y servirse de las aberturas para ver el mundo y leer la poesía del mundo, o al menos sus rimas.

Una noche, todavía no se había dormido cuando lo despertó un rugido lejano que venía del cielo. Le extrañó, porque no había notado signos de tormenta. Por el contrario, había sido una de esas puestas de sol delicadas, toda en rosa y oro; ni siquiera había ese silencio que anuncia algo: la conversación de las aves continuaba, lo mismo que las oscilaciones que se transmitían los mimbres. Nanas suaves lo habían adormecido, y quizás esa siesta de languidez fue lo que hizo que no se durmiera de inmediato cuando se acostó en el plumón, y a la vez estuviera lo bastante dormido para que lo despertara el ruido del cielo. Supo que era humano porque ningún sonido de la Naturaleza era tan constante y sostenido.

Se levantó y fue al altozano, desde donde tenía una vista del pueblo. Primero le pareció que había desaparecido, tragado por la tiniebla. No estaban los puntos amarillos que marcaban las esquinas y hacían un perfecto casillero de diez cuadrados por diez, del que salía una larga línea, también marcada por los puntos amarillos de los faroles, uno cada cien metros, hasta la estación. Pero descifrando la oscuridad vio que Pringles seguía ahí. La torre cuadrada del Palacio estaba en su lugar, con la tenue fosforescencia que le daban las estrellas a sus ángulos de cemento vidriado. Simplemente habían apagado las luces. Y por lo visto en las casas habían cerrado los postigos; y si había autos circulando por las calles, lo hacían con los faros apagados. ¿Por qué? No era tan tarde para tanta clausura. Y el ruido, que persistía, se sumaba al apagón para confirmar que algo estaba pasando.

En efecto, ese día de primavera adelantada había estallado una Revolución. Los militares se habían alzado en armas para derrocar a un régimen que se quería milenario. Un destacamento del ejército leal al gobierno partió de los cuarteles de Tandil a apagar uno de los focos del levantamiento, en la base naval de Punta Alta, al sur de la provincia. Al saber de este avance, los marinos lanzaron sus aviones a interceptarlo. Quiso la suerte que el encuentro de los blindados que venían por tierra y los Goster Meteor que hendían las nubes se produjera a la altura de Pringles. El teléfono puso en estado de alarma a la Municipalidad, que preventivamente mandó apagar las luces de la calle, y la propaladora urgió a la población a quedarse en sus casas y cerrar las ventanas. La precaución fue excesiva, pero no tanto, porque el combate tuvo lugar muy cerca: en el monte del arroyo.

Las baterías antiaéreas se estacionaron frente al puente de la carretera, la soldadesca se escabulló entre los árboles, tomando posición. El pintor, que había vuelto a su cabaña, vio pasar bultos de sombra y se preguntó, vanamente, cómo era posible que hubiera ido a quedar en un sitio donde hombres armados corrían en la oscuridad, donde las vidas estaban en juego y el tren de la catástrofe venía corriendo a toda velocidad. Volvió a preguntárselo segundos después, cuando comenzó el bombardeo. La tierra tembló, un brillo cegador acompañó el estruendo, que a su vez venía acompañado de unos chillidos francamente desagradables. Eran las otras bombas que venían en camino y llegaban atraídas por el pozo sombrío que en que se había transformado el bosque. Parecía el fin del mundo. Los árboles se sacudían, algunos arrancados de cuajo volaban y caían al revés. Las bombas que habían dado sobre el agua levantaban torrentes, las piedras como animadas por una vida propia partían en todas direcciones. Se descerrajaba la tierra, la noche se rompía en pedazos, la luz de las explosiones hacía poco para moderar la confusión. Y eso fue sólo el comienzo.

El ronquido de los aviones se atenuó, pero se habían alejado sólo para dar la vuelta. En la segunda pasada entró en acción el fuego antiaéreo, y el firmamento también se llenó de explosiones, lo que no impidió que una nueva volea de bombas hiciera valsar la tierra. Los fogonazos de la pólvora volvían más oscura la oscuridad. Todo cambiaba de lugar, el ruido parecía ocupar espacio, y no caber bajo la copa de los árboles. El olor a azufre, a hierbas quemadas, al secreto de los troncos hendidos, corría en los laberintos móviles del terremoto. ¡Bum! ¡Pan! ¡Fffiiii! El manso arroyo de los picnics pringlenses se revolvía furioso, sus aguas hervían y se derramaban entre los árboles que huían. En el negro revoltijo las bombas hacían volar terrones, piedras, plantas, y sus propias flores de fuego. Los obuses se deshacían en el cielo en ramilletes de chispas. Los gritos de los hombres, sus carreras, parecían fuera de lugar en la escena ciega hecha de pulsos y energías inhumanas.

El estropicio no duró más que un par de minutos, tres como máximo, tres y medio. Los motores fueron exigidos al máximo, y desde los camiones les gritaban a los soldados que subieran o los dejaban. No se entendía bien cuál podía ser el apuro. Los soldaditos corriendo en la oscuridad por entre los troncos caídos tropezaban y daban vueltas carnero en el aire. Los aviones habían desaparecido como por arte de magia. Un pesado silencio con crujidos se apoderó de la noche sin luna.

A pesar de la excitación producida por esta comedia de bombos y platillos, el pintor durmió bien. Siempre lo hacía, aun cuando no durmiera. Estaba perfeccionando sin saberlo ejercicios de sueño-insomnio. Al despertar a la mañana le volvió en bloque la memoria de los hechos nocturnos. Después del té fue a dar un paseo por el bosque en ruinas. Las bombas habían derribado árboles, que al caer habían causado destrozos secundarios. El peso del tronco y las ramas hacía emerger en bloque la raíz, con la gran bola de barro que la había nutrido; el hueco resultante parecía clamar con la voz de lo profundo. Los caminos estaban obstruidos. En realidad había dejado de haber caminos, se habían ido al cielo. Los helechos y las florcitas amarillas que se cobijaban en la superficie brillaban y temblaban. Al desaparecer los senderos habituales, se sentía un intruso, cada paso que daba con la debida precaución por los accidentes era como si estuviera violando una propiedad.

¿Bosque en ruinas? Así lo había formulado cuando tomaba el té, al amanecer, y las primeras luces le revelaban el destrozo. Pero durante el paseo le vino a la mente un libro que había tenido de chico, la historia convencional de los niños cruzando el bosque lleno de peligros. Los perseguía un gigante, ellos se escondían... Y aquí venía lo original, que se lo había hecho inolvidable. Exasperado, el gigante alzaba el bosque y lo daba vuelta, como cuando uno no encuentra algo en un cajón lleno de cosas, y cansado de hurgar lo da vuelta para vaciarlo. Y le daba resultado, porque caían conejitos, hormigas, ardillas, caracoles, tortugas, ranas... y los niños. No recordaba qué pasaba después, el dibujo a toda página que ilustraba ese clímax de la historia le había quedado tan grabado en la memoria que evidentemente obstruía el resto.

La bella mañana caía sobre el silencio. El espectáculo del bosque todo roto no dejaba de tener su encanto. No era como una casa donde hubo una fiesta y los invitados dejaron el desorden, las botellas vacías, los ceniceros llenos, las manchas en la alfombra. Esto tenía la dignidad de lo natural, y aquí no vendría nadie a limpiar y ordenar. El combate sin consecuencias de la noche había sido la clásica acción a medias. Desarmaban el paisaje, como los cubistas, y no lo volvían a armar. Otras ocupaciones los llevaban lejos, apurados, dándose importancia. Pero no tenía nada de extraño: la interrupción y lo inconcluso era la ley del Tiempo. Una obra inconclusa no era un error estético, como lo creía la gente sin sentido artístico. Eso debía venir de la pulsión burguesa de obtener satisfacción por lo que se pagaba. Era cierto que si uno compraba una silla y le faltaba una pata tenía derecho a quejarse. Pero en la Naturaleza era el revés. Y la obra de arte sin terminar siempre sería mejor que la terminada.

Llevado por estos pensamientos volvió a su cabaña, dejándole el campo libre a los curiosos que no tardarían en venir. Uno de ellos sería yo, pero no esa mañana ni ese año ni el siguiente, aunque no mucho después: cuando aprendiera a andar en bicicleta. Todo el resto de mi infancia me lo pasé yendo al bosque del arroyo a recorrer esos salones rústicos de árboles caídos y cráteres. Con el paso del tiempo, el bombardeo se había vuelto una leyenda en Pringles. El único hecho bélico que nos había dado la Historia. No puede sorprender que un chico quisiera revisar el campo de batalla, en busca de cascos de bala o esquirlas de bomba. En todo caso sorprende que yo fuera el único en hacer esas investigaciones. No encontré nada, pero eso no me impidió seguir yendo, en los veranos de inmensa desocupación, y pasarme horas dando vueltas por el sector más derrumbado, que se había vuelto escultórico a su manera, con enredaderas nuevas, musgos que no habrían encontrado hábitat en otro lado, hongos en racimos blancos, mantos, cobertores. Escondía la bicicleta bajo el puente y entraba por los pórticos verdes, con la emoción de vagos peligros y misterios. Se trataba en partes iguales de la inocencia y del nacimiento de la imaginación. El arroyo, con su agua que era a la vez cristalina y oscura, corría sin prisa, siempre igual. Los pájaros se callaban.

Había algo más que casquillos y esquirlas. La leyenda que se había creado en torno al episodio incluía un elemento, nunca verificado, pero que la completaba: un soldado había muerto, y en la desbandada sus camaradas habían abandonado el cuerpo. O bien se lo habían llevado, pero los revolucionarios triunfantes habían ocultado esa muerte; de hecho, no hubo ninguna repercusión periodística del choque de fuerzas sobre el Pillahuinco, y los historiadores lo ignoraron. El caldo de cultivo del misterio potenciaba la leyenda, y sus variantes: una tumba sin nombre en el Cementerio, una delegación militar furtiva que se lo había llevado... Y más todavía, ya en alas de la especulación: no había estado muerto sino herido, y se había recuperado con el auxilio de los linyeras, y seguía en el pueblo o sus alrededores, pero saliendo sólo de noche, presa de una grave perturbación mental producto de la herida... no, los que lo habían curado habían sido los animalitos del bosque... y él seguía oculto, como ese soldado japonés que vivió cincuenta años en la selva creyendo que la guerra no había terminado...

Por supuesto yo no creía en esos cuentos de viejas. Una intensa racionalidad se había apoderado de mí como un embrujo; hacía funcionar mi mente como una máquina, una procesadora de grandes números, un montacargas a cilindro. Este funcionamiento cuadriculado de mi mente producía una disociación interior, entre el frío cálculo y la ensoñación que hollaba, las figuras secretas de la evaporación del rocío. Como todo niño, me hacía dueño de los ámbitos solitarios, en los que nadie entraba nunca, sólo yo, camarlengo de mis propios señoríos. Yo, y el soldado muerto que veía a mis pies, momento en el que se hacía plena mi soberanía. Porque la Razón me decía que si eran absurdos los cuentos que corrían en el pueblo, no lo era que una configuración determinada de los átomos produjera al soldado, su joven cuerpo tendido en la hierba, el rostro sereno de un sueño sin sueños, el cuerpo de una idea, ninguna herida visible.

22 de marzo de 2018